D1515121

COLLECTION MAGELLAN

HISTOIRE

CYCLE 3

conforme aux programmes 2002

Sous la direction de

Sophie Le Callennec
Professeure d'histoire-géographie

Jacques Bartoli
Professeur certifié d'histoire-géographie, professeur d'IUFM

Olivier Cottet
Inspecteur de l'Éducation nationale

Françoise Martinetti
Professeure agrégée d'histoire, chargée de cours en IUFM

Claude Ranaivonasy
Professeur certifié d'histoire-géographie

Laurence Rolinet
Professeure d'histoire-géographie, formatrice en CFP

avec la contribution de
Frédéric Demouche, musée de Préhistoire Corse et d'Archéologie, Sartène
Yann Yvinec, professeur des écoles

Les auteurs remercient Frédéric Demouche, agent du patrimoine, Musée départemental de préhistoire et d'archéologie corse, rue Croce, 20100 Sartène (04 95 77 01 09, musee.sartene@cg-corsedusud.fr) pour son apport au chapitre sur la préhistoire.

Conception	Frédéric Jély
Mise en page	Prête-moi ta plume
Cartographie	Claire Levasseur
Illustrations	Bruno Lesourd, Amélie Veaux
Révision	Élisabeth Bélorgey

Avant-propos

Magellan, par son expédition (1519-1521), fut à la fois acteur de la géographie et acteur de l'histoire : il prouva aux hommes la rotondité de la Terre et transforma ainsi leur vision du monde. Qu'il ne soit pas parvenu à achever lui-même sa célèbre circonvolution n'a guère d'importance puisque son élan stimula son équipage qui, après sa disparition, poursuivit le voyage pour revenir à son point de départ.

Programmes et découpage

Ce manuel d'histoire, destiné aux élèves de cycle 3, est conforme aux programmes de 2002 et au document d'application, dont il suit résolument l'esprit et la lettre. Ainsi, il abandonne certaines notions, comme le néolithique et le palélolithique, et s'ouvre à de nouveaux thèmes comme l'« histoire du genre » (la place des femmes dans l'histoire) ou la naissance de l'islam.

Comme les programmes, il est découpé en six parties ou chapitres. Chaque chapitre est organisé en leçons, dont le nombre total correspond à celui des séquences nécessaires pour couvrir les trois années du cycle 3. Certaines leçons sont suivies par un dossier qui concerne soit un élément du patrimoine (une ville gallo-romaine, un château fort, un château de la Renaissance...), soit un thème d'étude proposé par les programmes (les femmes de la Révolution, une classe au XIXe siècle...).

Approche d'enseignement

Ce manuel consacre une large place à des documents variés : de grandes photographies présentant des « documents historiques », dont certaines sont fléchées pour guider leur étude, des textes d'époque, des cartes, des frises chronologiques... Des questions d'observation (signalées par ▷) et des questions de réflexion (signalées par ▶) permettent une exploitation aisée de ces documents. Conformément aux programmes, les documents sont choisis pour leur qualité historique mais aussi pour leur intérêt dans une démarche transversale (parler, lire, écrire, mais aussi liens avec l'éducation civique, la géographie, les arts visuels...).

Chaque leçon comporte un texte précis, concis, clair et accessible aux élèves de cycle 3, qui se limite aux savoirs essentiels nécessaires à l'école élémentaire. L'équilibre entre le texte et l'illustration permet à l'enseignant de choisir son approche : à partir de la leçon en s'appuyant sur les documents, ou à partir des documents pour construire la leçon avec sa classe.

Le niveau de vocabulaire, l'acquisition des notions et le découpage en chapitres tiennent compte d'une progression par classe, du CE2, en début d'ouvrage, au CM2, en fin d'ouvrage, mais le manuel se prête également à des programmations différentes selon le souhait des conseils de cycle.

Atlas

Les cartes historiques et les frises chronologiques sont regroupées dans un atlas de 32 pages. Il permet aux élèves d'avoir toujours sous les yeux les documents nécessaires pour situer les événements dans le temps et l'espace, sans avoir à feuilleter le manuel.

Enseigner l'histoire au cycle 3

Ce manuel complète l'ouvrage *Enseigner l'histoire au cycle 3*, destiné aux enseignants, qui propose à la fois des modèles de programmation, des connaissances pour enseigner l'histoire, des récits pour la classe, des propositions d'organisation des séquences, des explications sur les documents présentés dans le manuel et du matériel pour la classe (fonds de carte, frises chronologiques).

L'équipe d'auteurs vous souhaite une bonne navigation à la découverte du passé de l'humanité.

Sophie Le Callennec

Sommaire

La préhistoire à partir de 3 millions d'années

1	La préhistoire et le travail de l'archéologue	8
2	L'origine de l'humanité	10
3	Les premières réalisations humaines	12
4	La vie des premiers peuples	16
5	Les débuts de la pensée et de l'art	18
6	Les premiers habitants de la France	22
7	Les débuts de l'agriculture	24
8	La sédentarisation des peuples	26
9	Les débuts de l'artisanat	30
10	Les débuts de la métallurgie	32

Dossiers

→ La fabrication des outils préhistoriques   14

→ La grotte de Lascaux   20

→ Les mégalithes de Carnac   28

L'Antiquité de 3000 avant J.-C. à 476 après J.-C.

11	L'histoire et le travail de l'historien	36
12	L'invention de l'écriture	38
13	La naissance des États	40

Des Celtes aux Gallo-Romains

14	La « naissance » de la Gaule	42
15	Les Gaulois	44
16	La conquête de la Gaule par les Romains	46
17	La Gaule romaine	48
18	La romanisation de la Gaule	50
19	Les artisans gaulois et gallo-romains	54

→ Nîmes, ville gallo-romaine   52

De plusieurs dieux à un seul dieu

20	La religion des Gaulois	56
21	Les débuts du christianisme	58
22	La christianisation de la Gaule	60

Le Moyen Âge de 476 à 1492

Les débuts du Moyen Âge

23	Les grandes migrations et les royaumes « barbares »	64
24	Clovis et les Mérovingiens	66
25	Charlemagne et les Carolingiens	68

La société médiévale

26	La société au Moyen Âge	70
27	Les paysans au Moyen Âge	74
28	Les seigneurs et leurs châteaux	76
29	Les chevaliers	80
30	L'influence de l'Église au Moyen Âge	82
31	Les églises et les cathédrales	84
32	Les abbayes et les monastères	86
33	Les villes, espaces de liberté	88

→ Les femmes au Moyen Âge   72

→ Le château de Bonaguil   78

→ La cité de Carcassonne   90

La naissance d'une nouvelle religion

34	La naissance de l'islam au VIIe siècle	92
35	L'Empire arabe VIIe-VIIIe siècle	94
36	Affrontements et échanges autour de la Méditerranée	98

→ La mosquée de Kairouan   96

La fin du Moyen Âge

37	La restauration du pouvoir royal en France 937-1314	100
38	La guerre de Cent Ans 1337-1453	102
39	Les progrès du Moyen Âge	104

Des Temps modernes à l'Empire napoléonien de 1492 à 1815

Les Temps modernes

Dossiers

40	Les grandes explorations XVe -XVIe siècle	108		
41	L'Europe domine le monde	110	→ La traite des Noirs	112
42	La Renaissance : l'art et la pensée	114	→ Le château de Chambord	116
43	La Renaissance : les sciences	118		
44	Les réformes religieuses XVe -XVIe siècle	120		

La France de la monarchie absolue

45	La monarchie absolue XVIIe -XVIIIe siècle	122	→ Le château de Versailles	124
46	Les progrès techniques au XVIIIe siècle	126		
47	La société française sous la monarchie absolue	128		
48	Le mouvement des Lumières XVIIIe siècle	130		

La Révolution puis l'Empire

49	La Révolution française 1789	132	→ La Déclaration des droits de l'homme...	134
50	La République 1792	136	→ Les femmes sous la Révolution	138
51	La Terreur 1793-1794	140		
52	Napoléon et l'Empire 1799-1815	142		
53	Les guerres de l'Empire 1799-1815	144		
54	L'héritage de la Révolution	146		

Le XIXe siècle de 1815 à 1914

Les progrès économiques

55	L'expansion industrielle et la naissance du capitalisme	150	→ La machine à vapeur	152
56	La révolution des transports	154		
57	Les autres progrès scientifiques et techniques	156		
58	L'essor du monde urbain	158	→ Paris transformé	160
59	Le monde ouvrier	162		
60	La bourgeoisie	164		

Les luttes politiques et sociales

61	Les luttes sociales au XIXe siècle	166		
62	En marche vers la république	168		
63	Les acquis du XIXe siècle et de la IIIe République	170	→ L'école de la IIIe République	172
64	La place inégalitaire des femmes	174	→ Le combat pour l'égalité des femmes	176

L'Europe et le monde

65	L'Europe se tourne vers le monde	178		
66	La colonisation	180	→ La vie dans les colonies	182
67	L'art et la culture au XIXe siècle	184	→ L'essor des livres et des journaux	186

Le XXe siècle et le monde actuel de 1914 à nos jours

D'une guerre à l'autre

68	La Première Guerre mondiale 1914-1918	190	→ Les Poilus dans les tranchées	192
69	La montée de la violence 1918-1939	194		
70	La Deuxième Guerre mondiale 1939-1945	196		
71	L'antisémitisme et le génocide	198		
72	La France dans la guerre 1940-1945	200	→ Collaboration et Résistance	202

Le monde depuis la guerre

73	Construire la paix après 1945	204		
74	La persistance des violences et de l'exclusion	206	→ Des voix contre la violence et l'intolérance	208
75	Les décolonisations 1947-1974	210		
76	Les progrès scientifiques et techniques au XXe siècle	212		
77	La Ve République de 1958 à nos jours	214		
78	La société européenne et française au XXe siècle	216	→ L'évolution du mode de vie	218
79	Une nouvelle place pour les femmes	220		

1 La préhistoire

à partir de 3 millions d'années

sommaire

1	La préhistoire et le travail de l'archéologue	8
2	L'origine de l'humanité	10
3	Les premières réalisations humaines	12
Dossier	La fabrication des outils préhistoriques	14
4	La vie des premiers peuples	16
5	Les débuts de la pensée et de l'art	18
Dossier	La grotte de Lascaux	20
6	Les premiers habitants de la France	22
7	Les débuts de l'agriculture	24
8	La sédentarisation des peuples	26
Dossier	Les mégalithes de Carnac	28
9	Les débuts de l'artisanat	30
10	Les débuts de la métallurgie	32

La Rotonde des taureaux, grotte de Lascaux,
peinture rupestre réalisée il y a 17 000 ans

1 La préhistoire et le travail de l'archéologue

⬇ 1 Le travail des archéologues : les vestiges

Propulseur en bois de renne, vieux de 15 000 ans, découvert au Mas d'Azil (Ariège)
Les archéologues ont trouvé cet objet dans le sud de la France.

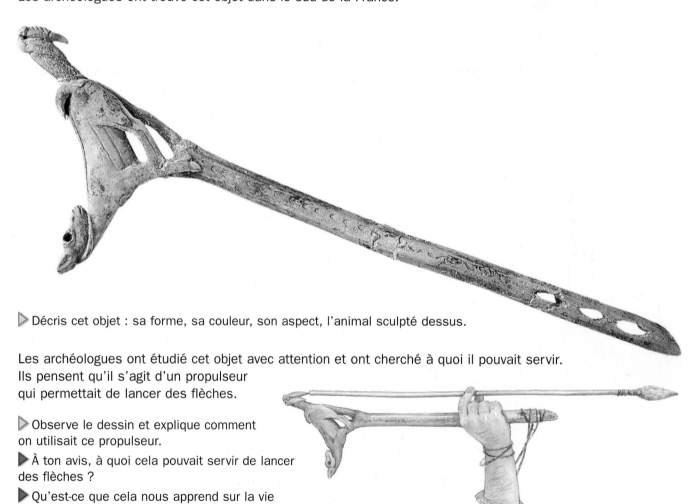

▷ Décris cet objet : sa forme, sa couleur, son aspect, l'animal sculpté dessus.

Les archéologues ont étudié cet objet avec attention et ont cherché à quoi il pouvait servir.
Ils pensent qu'il s'agit d'un propulseur
qui permettait de lancer des flèches.

▷ Observe le dessin et explique comment
on utilisait ce propulseur.

▶ À ton avis, à quoi cela pouvait servir de lancer
des flèches ?

▶ Qu'est-ce que cela nous apprend sur la vie
des êtres humains il y a 15 000 ans, notamment sur leurs activités ?

▶ Imagine à quoi d'autre cet objet pourrait avoir servi.

La préhistoire et ses mystères

La « préhistoire » est le passé très ancien des êtres humains : ceux qui vivaient il y a des dizaines, des centaines de milliers, voire des millions d'années. On sait peu de chose de ces temps très anciens : quelle langue les humains parlaient, ce qu'ils pensaient, ce qu'ils aimaient… En effet, autrefois, l'écriture et les caméras n'existaient pas : aucun livre ne raconte les événements de ce passé lointain, aucun film ne montre la vie quotidienne d'alors. C'est pourquoi des savants, que l'on appelle les « préhistoriens », étudient la préhistoire et cherchent à découvrir comment les humains vivaient à cette époque.

Le travail des archéologues

Les peuples qui vivent dans un lieu laissent des traces de leur passage : des restes de repas, des

Le site est quadrillé avec des cordes et les carrés sont numérotés : on peut ainsi noter précisément l'endroit où l'on trouve chaque vestige.

Une échelle permet de mesurer à quelle profondeur les vestiges sont trouvés.

On utilise des sacs emplis de sable pour stabiliser le sol que l'on creuse pour fouiller.

De petits outils permettent de gratter délicatement le sol sans abîmer les vestiges.

← 2 Le travail des archéologues : les fouilles

Chantier de fouilles archéologique à Plouhinec (Bretagne)

▷ Décris ce chantier : le lieu, les personnes, le matériel utilisé…

▷ Quelles précautions ces archéologues prennent-ils pour dégager les vestiges ?

▷ Pourquoi prennent-ils tant de précautions ?

---

traces d'habitation, des objets jetés, perdus, abandonnés : c'est ce que l'on appelle des vestiges… (doc. 1) Ces vestiges s'enfouissent progressivement dans le sol.

Les archéologues font des fouilles pour tenter de trouver des vestiges de la préhistoire (doc. 2). Ils creusent le sol, dégagent des objets, les réparent quand ils sont cassés, les étudient pour comprendre à quoi ils servaient et comment ils ont été fabriqués. Ce travail leur permet de reconstituer la vie pendant la préhistoire et de savoir à quel point elle était différente de la nôtre.

LEXIQUE

● **un archéologue** : un savant qui étudie les traces laissées par les peuples du passé.

● **les vestiges** : ce qui reste du passé (bâtiments, monuments, objets, traces dans le sol, par exemple).

2 L'origine de l'humanité

→ 1 Les hominidés

Squelette d'hominidé femelle, vieux de 3,2 millions d'années, découvert en Éthiopie

Ce squelette a été découvert en 1974. C'est celui d'une jeune australopithèque (hominidé) âgée de 20 ans environ au moment de sa mort. Elle mesurait 1,10 m. Les archéologues l'ont surnommée « Lucy ».

▷ Décris ce squelette. Quelles parties du corps reconnais-tu ?

▷ Quelles parties de ce squelette montrent que cet hominidé ressemblait à un être humain ?

▷ Que nous apprend ce squelette sur les ancêtres des êtres humains ?

▷ Sur la carte 1, situe le lieu dans lequel on a retrouvé ce squelette : sur quel continent est-ce ?

Traces de pas vieilles de 3,6 millions d'années, découvertes en Tanzanie (Afrique)

▷ Décris ces empreintes de pas : la forme des pieds, la disposition des pas.

▷ De quand datent-elles ?

▷ Que nous apprennent-elles sur ceux qui les ont faites ?

Les hominidés

On trouve, en Afrique, des vestiges très anciens d'hominidés : des ossements, des outils simples, des traces de pas (doc. 1)… Ils prouvent qu'il y a sept millions d'années déjà, des proches ancêtres des êtres humains vivaient sur ce continent. Parmi eux, les australopithèques étaient moins grands que les êtres humains mais, comme eux, ils étaient bipèdes et se servaient de leurs mains pour tenir des objets. Ils se nourrissaient de racines, de fruits et d'herbes et, comme les singes, grimpaient aux arbres.

Les premiers êtres humains

Les plus anciens vestiges d'êtres humains ont été découverts en Afrique : on pense donc que, comme les autres hominidés, les premiers humains vivaient sur ce continent. Les traces les plus anciennes remontent à 3 millions d'années environ (chronologie A). Ensuite, l'espèce humaine a évo-

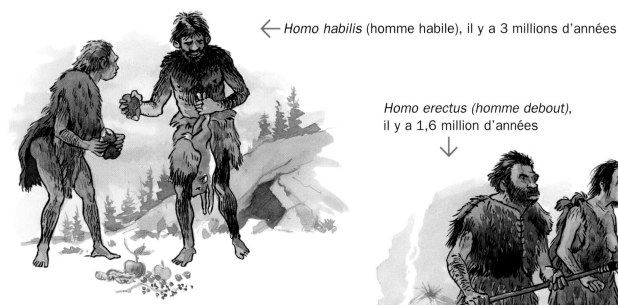

← *Homo habilis* (homme habile), il y a 3 millions d'années

Homo erectus (homme debout),
il y a 1,6 million d'années
↓

← *Homo sapiens sapiens* (homme qui sait qu'il sait),
il y a 100 000 ans

▷ Décris ces individus dans l'ordre chronologique : leur allure, leur taille, leurs vêtements, leur manière de se coiffer, leur habitat, ce qu'ils font…

▷ Sur la frise chronologique A, situe-les dans le temps.

---

lué et plusieurs espèces se sont succédé. Au fil du temps, les êtres humains sont devenus plus grands (doc. 2). Leur intelligence s'est développée. Progressivement, des petits groupes se sont déplacés et ont occupé un espace de plus en plus vaste. Il y a un million d'années environ, certains se sont installés en Asie et en Europe. Plus tard, d'autres se sont encore aventurés plus loin et certains de leurs lointains descendants se sont installés en Amérique et en Océanie. Les êtres humains ont ainsi peuplé toute la Terre (carte 1).

LEXIQUE

● **bipède** : qui marche sur deux pieds.

● **une espèce** : un ensemble d'êtres vivants qui se ressemblent et peuvent se reproduire entre eux (par exemple, les chiens et les chats appartiennent à des espèces différentes).

● **un fossile** : les restes ou la trace, dans une roche, d'un être vivant.

● **un hominidé** : un être vivant qui ressemble à un être humain, notamment parce qu'il est bipède.

3 Les premières réalisations humaines

↓ 1 Les premiers outils

A Galet aménagé, vieux de 40 000 à 400 000 ans, découvert aux Eyzies (Dordogne)
Les « galets aménagés » sont les plus anciens outils que l'on ait retrouvés.

B Biface en silex, vieux de 200 000 à 300 000 ans, découvert à Saint-Acheul (Somme)
Les bifaces sont des outils plus récents. Ils étaient taillés sur les deux faces, la taille était plus régulière et le tranchant plus acéré.

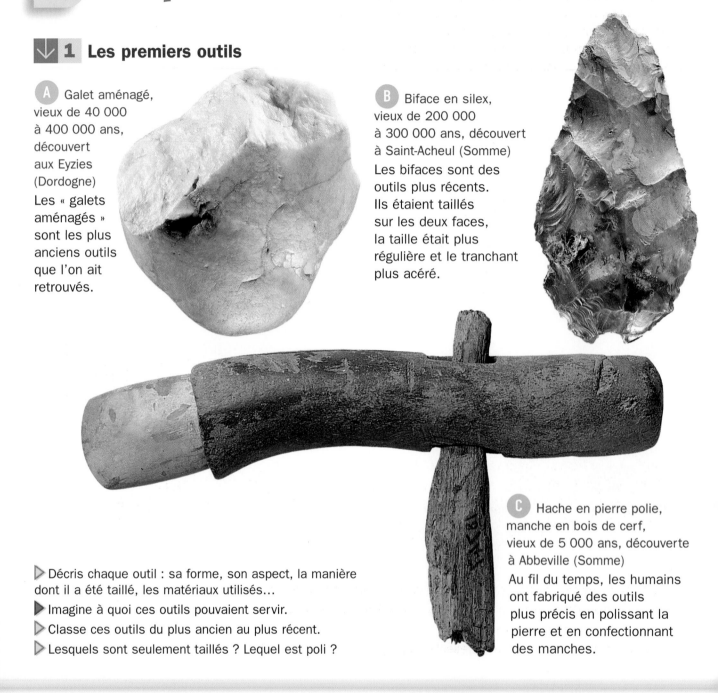

C Hache en pierre polie, manche en bois de cerf, vieux de 5 000 ans, découverte à Abbeville (Somme)
Au fil du temps, les humains ont fabriqué des outils plus précis en polissant la pierre et en confectionnant des manches.

▷ Décris chaque outil : sa forme, son aspect, la manière dont il a été taillé, les matériaux utilisés…

▶ Imagine à quoi ces outils pouvaient servir.

▷ Classe ces outils du plus ancien au plus récent.

▷ Lesquels sont seulement taillés ? Lequel est poli ?

Les premiers outils

Certains animaux utilisent des objets comme outils : des bâtons pour frapper, des pierres pour casser… Les êtres humains ne se contentent pas des outils offerts par la nature : ils fabriquent les outils dont ils ont besoin. Il y a deux à trois millions d'années, les premiers humains ont commencé à casser des pierres en les frappant l'une contre l'autre pour faire sauter des éclats et obtenir un bord coupant (doc. 1).

Progressivement, ils ont amélioré leurs méthodes et fabriqué des outils adaptés à leurs différents besoins : de gros outils comme des poignards, et de plus petits comme des flèches. Ils ont aussi utilisé d'autres matériaux que la pierre : le bois, les os d'animaux, les bois de rennes… Ils ont également amélioré leurs techniques en taillant des outils plus soignés puis, à la fin de la préhistoire, en les frottant pour les polir et obtenir un aspect plus régulier et un tranchant plus résistant aux chocs (doc. 1 et outils p. 16).

2 La maîtrise du feu Reconstitution

Les préhistoriens ne savent pas avec certitude comment les peuples préhistoriques faisaient du feu : peut-être ont-ils d'abord recueilli des braises lors des incendies de forêts provoqués par la foudre. Ensuite, ils ont sans doute découvert comment produire une étincelle en frottant des pierres ou des morceaux de bois. Plus tard, ils ont aménagé des foyers, abrités du vent.

▷ Mime chacune de ces manières de faire du feu puis décris-la avec tes mots.

▷ Laquelle de ces méthodes te semble la plus simple ? la plus rapide ? Justifie ta réponse.

▷ Cherche ce que le feu permet de faire ?

▷ En quoi la maîtrise du feu a-t-elle représenté un progrès pour l'humanité ?

La maîtrise du feu

Les archéologues ont découvert des traces de foyers, des charbons de bois, des os brûlés qui prouvent qu'il y a 600 000 ans, les humains savaient faire du feu (doc. 2 et chronologie A). Le feu a profondément changé la vie des humains. Il leur a fourni de la lumière, de la chaleur ; il leur a permis de tenir à distance les bêtes sauvages et de cuire les aliments, donc de leur donner un goût nouveau, de les rendre plus comestibles en détruisant certains germes, et de mieux les conserver. Il a contribué à rassembler les êtres humains et à les faire vivre en groupes : en se retrouvant autour du foyer, ils ont pris l'habitude de communiquer et d'échanger.

LEXIQUE

● **un biface** : une pierre taillée sur deux faces, avec un bord tranchant.

● **un foyer** : un endroit où l'on fait du feu.

● **polir** : frotter pour rendre lisse, voire luisant.

La fabrication des outils préhistoriques

En étudiant attentivement les outils de la préhistoire,
les préhistoriens comprennent comment ils ont été fabriqués.

↓ 1 Tailler Pierre vieille de 12 000 ans, découverte à Pincevent (Ile-de-France)

Ces éclats de pierre ont été retrouvés dans un campement préhistorique.
Les archéologues ont reconstitué, comme un puzzle, la pierre d'origine.
Celle-ci a été découpée en petits éclats qui sont autant d'outils.

▷ Sur la carte 2 de l'atlas, situe Pincevent.

▷ Décris la pierre d'origine et la manière dont elle a été taillée.

▷ Comment ferais-tu si tu devais tailler une pierre : comment t'y prendrais-tu ? Quels types de pierre utiliserais-tu ?

Les préhistoriens ont reconstitué deux manières possibles qu'utilisaient les peuples de la préhistoire pour façonner leurs outils.

A La percussion directe : le tailleur frappait un bloc de pierre avec une autre pierre ou avec un morceau d'os, de bois d'animal... pour en détacher des éclats.

B La pression : le tailleur appuyait de tout son corps sur un point précis du bloc de pierre pour en détacher un éclat à l'endroit souhaité.

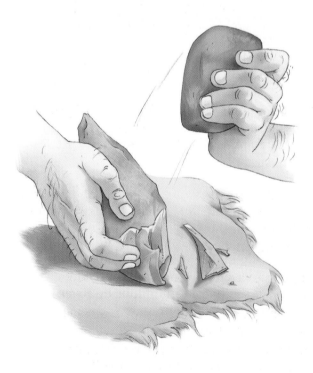

▷ Mime chacune de ces méthodes de taille de la pierre.

▷ Décris-les en faisant des phrases.

▶ Laquelle te semble la plus facile ? la plus précise ?

→ 2 **Retoucher** Reconstitution

Pour obtenir la forme qu'ils souhaitaient
ou améliorer le tranchant, les peuples préhistoriques
retouchaient certains outils taillés. Ils frappaient
dessus avec une petite pierre ou exerçaient
une pression avec un os ou un bois d'animal
pour en ôter de petits éclats.

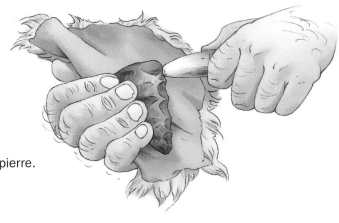

▷ Mime les gestes faits par le tailleur pour retoucher la pierre.

▶ À ton avis, pourquoi le tailleur tient-il la pierre
dans un morceau de cuir ?

↓ 3 **Polir** Polissoir en pierre vieux de 4 000 ans, découvert à Carves (Dordogne)

Il y a 8 000 ans environ, les humains ont découvert
qu'en frottant un outil taillé contre une autre pierre,
ils obtenaient des formes plus précises et
des tranchants plus résistants.

▷ Lequel des deux outils posés sur le polissoir
ci-dessus est seulement taillé ? Lequel est poli ?

▷ Mime la méthode de polissage puis décris-la
en faisant des phrases.

▶ En quoi le polissage de la pierre représente-t-il
un progrès par rapport à la simple taille ?

▷ D'après la chronologie A, la période pendant
laquelle les hommes ont simplement taillé les pierres
a-t-elle duré plus ou moins longtemps que celle
pendant laquelle ils les ont aussi polies ?

4 La vie des premiers peuples

↓ 1 **La cueillette, la pêche et la chasse**

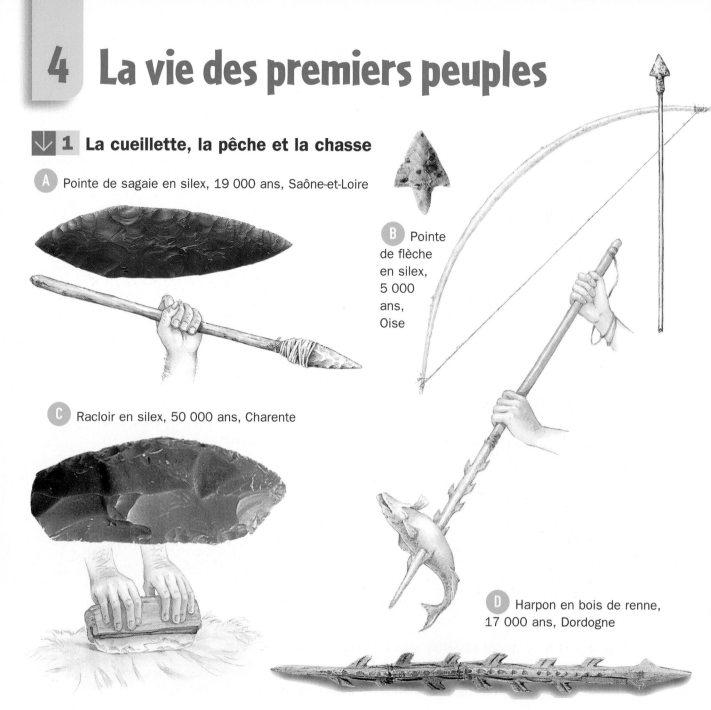

A Pointe de sagaie en silex, 19 000 ans, Saône-et-Loire

B Pointe de flèche en silex, 5 000 ans, Oise

C Racloir en silex, 50 000 ans, Charente

D Harpon en bois de renne, 17 000 ans, Dordogne

▷ Décris ces outils (forme, matériaux, taille…) puis classe-les dans l'ordre chronologique.

▷ En t'aidant des reconstitutions, explique à quoi chacun servait.

▷ Que nous apprennent-ils sur les activités des peuples de la préhistoire ?

La cueillette, la pêche et la chasse

Les premiers peuples de la préhistoire mangeaient ce qu'ils trouvaient : des fruits, des champignons, des racines, des céréales sauvages, des animaux morts. Au fil du temps, ils se sont organisés pour chercher leur nourriture et ont commencé à pratiquer la pêche (saumons et brochets dans les rivières) et surtout la chasse : à plusieurs, ils traquaient de gros animaux comme les chamois, les rennes, les bisons et les mammouths. Ils mangeaient la viande et raclaient les peaux d'animaux pour en faire des vêtements (doc. 1).

Des populations nomades

Les premiers peuples avaient un mode de vie proche de celui des singes : en particulier, ils passaient la nuit dans les arbres pour se protéger des bêtes sauvages. Il y a moins de 2 millions d'années,

↑ **2** **Des populations nomades** Reconstitution d'un campement préhistorique

Ce dessin est une reconstitution, car il n'existe aucune photographie ni aucun dessin datant de cette époque. Mais l'étude des vestiges a permis de « reconstituer » la vie des peuples de la préhistoire.

▷ Décris ce que tu vois sur cette reconstitution : les personnes, leurs activités, leurs vêtements, les habitations…

▷ Retrouve sur cette reconstitution des outils et des techniques présentés dans les pages précédentes.

▷ Quelles activités permettaient aux peuples de la préhistoire de se nourrir ?

ils ont commencé à dormir sur le sol, dans des abris naturels. Quand ils ont commencé à s'organiser pour la chasse, ils ont pris l'habitude de vivre en petits groupes nomades. Ils se déplaçaient sans cesse pour suivre le gibier. Durant les froides nuits d'hiver, ils se réfugiaient dans des cavernes. Au printemps, ils suivaient le gibier dans d'autres régions. Ils construisaient alors des abris provisoires : des huttes en branchages et des tentes en peaux d'animaux (doc. 2).

LEXIQUE

● **un bison** : un animal ressemblant à un gros taureau sauvage.

● **le gibier** : les animaux qu'on chasse pour manger.

● **un mammouth** : un animal ressemblant à un éléphant poilu.

● **nomade** : qui n'a pas d'habitation fixe et se déplace sans cesse.

5 Les débuts de la pensée et de l'art

⬇ 1 Les débuts de la pensée : le langage

Texte d'historien. La première forme de langage serait celle du chimpanzé à qui il arrive de mimer une action. On peut penser que les premiers humains communiquaient en utilisant un langage des signes : par exemple, pour proposer une chasse, ils pouvaient simuler le lancer d'une sagaie. Le langage a été créé plus tard. En effet, pour que la parole existe, il faut des humains capables de penser, mais aussi une évolution du larynx, l'organe qui contient les cordes vocales, de manière à pouvoir produire des sons différenciés. Les préhistoriens savent maintenant que nos ancêtres, il y a 2,5 millions d'années, n'étaient pas en mesure de parler. En revanche, de nombreux chercheurs pensent qu'*Homo erectus* parlait : c'est ce qui lui aurait permis de transmettre et d'améliorer sa technique de taille des outils en pierre. D'autres pensent que le langage est beaucoup plus récent. Dans tous les cas, il s'est développé grâce à certaines qualités des humains : la curiosité, l'envie de partager ses savoirs et ses expériences. Les contacts, les échanges et les rencontres entre les peuples ont sans doute beaucoup contribué au développement du langage.

Synthèse réalisée par les auteurs du manuel

▷ Quelles sont les deux conditions nécessaires pour que des humains puissent parler ?

▶ Comment les animaux communiquent-ils entre eux ?

▶ Qu'est-ce que le langage humain permet de faire que les animaux ne peuvent pas faire ?

⬇ 2 Les débuts de la pensée : la médecine et la science

Crâne trépané, vieux de 4 000 à 7 000 ans, Marne

On a retrouvé des crânes présentant les traces d'opération et de cicatrisation, preuve que les humains concernés ont survécu à l'opération. On ne sait pas si ces opérations étaient faites pour soigner un malade ou s'il s'agissait d'un rituel religieux.

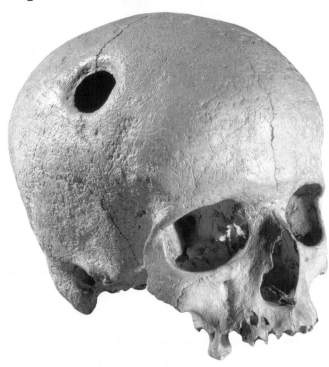

▷ Décris ce crâne et les traces de l'opération.

▶ À quoi vois-tu qu'il ne s'agit pas d'un accident ?

Les débuts de la pensée

Au cours de la préhistoire, le cerveau et l'intelligence des êtres humains se sont considérablement développés, ce qui leur a permis de penser, de réfléchir… Cette intelligence leur a permis d'inventer le langage constitué de mots puis de phrases : c'est le début de la parole (doc. 1).

Elle leur a également permis d'apprendre de plus en plus de choses et de transmettre leur savoir (fabriquer des outils, faire du feu, construire une hutte…) : c'est le début de l'enseignement.

Grâce à leur intelligence, les peuples de la préhistoire ont cherché à comprendre le monde qui les entourait et à mieux le contrôler. Par exemple, on a retrouvé des crânes qui avaient été opérés : c'est le début de la médecine et de la science (doc. 2).

Les êtres humains se sont mis à se poser des questions. Ainsi, on a découvert des tombes vieilles de 100 000 ans, dans lesquelles des corps avaient été enterrés selon un certain rituel. Elles prouvent que les humains s'interrogeaient sur la vie et la mort et espéraient continuer à exister après la mort : c'est le début des croyances religieuses (p. 22).

↓ 3 Les débuts de l'art

A Tête de femme en ivoire, vieille de 23 000 ans, découverte à Brassempouy (Landes)

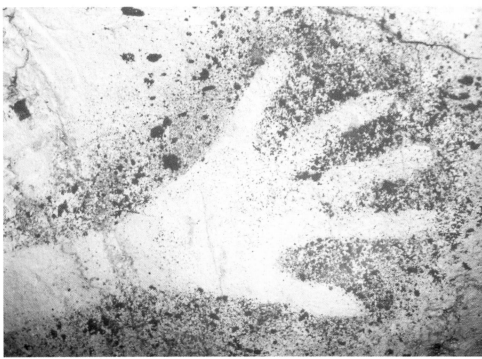

B Main peinte, vieille de 27 000 ans, Grotte Cosquer (Marseille)
Cette main constitue la plus ancienne représentation humaine découverte en France.

C Flûte en os vieille de 20 000 à 30 000 ans, découverte à Isturitz (Pyrénées-Atlantiques)

▷ Décris cette tête de femme (A). Dans quel matériau a-t-elle été réalisée ? Que manque-t-il sur son visage ?

▶ À ton avis, comment l'artiste a-t-il dessiné cette main (B) ?

▷ Décris cette flûte (C). Dans quel matériau a-t-elle été réalisée ?

▶ Que nous apprennent ces vestiges sur l'art à l'époque préhistorique ?

▷ Sur la carte 2, situe les lieux de découverte des vestiges de cette page : dans quel pays les a-t-on trouvés ?

Les débuts de l'art

Parmi les vestiges de la préhistoire, les archéologues ont découvert les premières formes d'art : des bijoux, des instruments de musique, des sculptures réalisées dans la pierre, l'ivoire ou dans des bois d'animaux, des peintures et des gravures sur des parois rocheuses (doc. 3). En France, notamment, on trouve dans la grotte Chauvet et la grotte de Lascaux des peintures vieilles de 17 000 ans et plus, représentant des animaux, quelques formes humaines et des formes géométriques (pp. 20-21).

LEXIQUE

● **les croyances religieuses** : les idées, les opinions qu'ont certaines personnes à propos de l'existence d'un ou de plusieurs dieux, ou de forces invisibles.

● **un rituel** : une manière précise et habituelle de faire certaines choses, notamment en rapport avec des croyances religieuses.

● **rupestre** : peint ou gravé sur la roche.

● **une tombe** : un endroit où l'on a placé un ou plusieurs morts.

La grotte de Lascaux

Avec ses 1 500 peintures et gravures rupestres, la grotte de Lascaux, dans le sud-ouest de la France, est, l'un des plus beaux témoignages au monde de l'art préhistorique.

↓ 1 La découverte de la grotte

Récit. Le jeudi 12 septembre 1940, quatre adolescents, Marcel Ravidat, Jacques Marsal, Georges Agnel et Simon Coencas, se promenaient dans les bois. Tout à coup, le chien de Marcel Ravidat s'engouffra dans un trou laissé par un arbre déraciné. Marcel se glissa à la suite de l'animal pour le rattraper. Il descendit une pente abrupte puis avança dans le couloir de la grotte. Il n'avait qu'une petite lampe mais elle lui suffit pour découvrir, stupéfait, des dessins sur les parois. Les quatre amis allèrent prévenir leur instituteur qui fit appel à l'abbé Henri Breuil pour confirmer ce qu'ils pressentaient tous : il s'agissait de peintures datant de la préhistoire, dont une gigantesque fresque qui constitue l'un des plus beaux chefs-d'œuvre de l'art de la préhistoire.

Synthèse réalisée par les auteurs du manuel

▷ Raconte avec tes propres mots cette découverte de la grotte de Lascaux.

▷ À ton avis, qui ont été les derniers visiteurs de cette grotte avant l'arrivée de ces enfants ?

▷ Sur la carte 2, situe Lascaux.

▷ À ton avis, a-t-on découvert tous les vestiges de peinture rupestre préhistorique en France, ou bien en existe-t-il d'autres ? Justifie ta réponse.

page 6 ↓ 2 Les peintures de Lascaux Réalisées il y a 17 000 ans

Les peintures de Lascaux représentent, pour la plupart, des animaux que les peuples de la préhistoire chassaient : taureaux et chevaux sauvages, cerfs…
Certains dessins sont encore mystérieux : on ne sait pas ce qu'ils représentent.

▷ Décris la peinture rupestre p. 6.

▷ Décris la scène ci-contre : l'homme, la position dans laquelle il se trouve, l'animal face à lui, les couleurs…

▷ À ton avis, que s'est-il passé ?

▷ À quel vestige déjà vu dans ce manuel le bâton à tête d'oiseau à côté de cet homme te fait-elle penser ?

▷ Qu'est-ce que ces peintures nous apprennent sur la vie des peuples préhistoriques ?

Dans les grottes, qui étaient sombres, les artistes de la préhistoire s'éclairaient avec des lampes alimentées en graisse de renne.

Ils traçaient les contours de leurs dessins en épousant le relief puis les coloriaient.

Pour peindre en hauteur, ils construisaient des échafaudages avec des troncs d'arbres.

Ils peignaient avec leurs doigts, avec des tampons de feuilles et de fourrure ou en soufflant la peinture.

Ils fabriquaient eux-mêmes leurs couleurs : le noir avec du charbon ; l'ocre, le brun, le rouge, l'orange et le jaune avec des pierres et des végétaux broyés.

↑ 3 Des techniques élaborées Reconstitution

▷ Décris cette reconstitution et raconte ce que fait chaque personnage.

▷ Quelles couleurs ont été utilisées pour les peintures des pages 6 et 20 ?

Le piétinement des visiteurs, les germes véhiculés par eux et l'humidité créée par leur respiration ont abîmé les peintures de Lascaux. La grotte a donc été fermée et, en 1985, on a créé une copie appelée « Lascaux II ». Les visiteurs peuvent ainsi continuer à admirer ces chefs-d'œuvre sans les détruire.

6 Les premiers habitants de la France

1 Des vestiges nombreux Squelette de femme vieux de 7 000 ans découvert dans l'Aisne

Texte de préhistorien. En 1958, à Terra Amata, à Nice, on a effectué des fouilles. On a alors retrouvé un site autrefois habité, qui comporte plusieurs couches de vestiges. La plus ancienne couche est datée de 380 000 ans. Il s'agit d'un campement dans lequel les hommes faisaient halte à certaines saisons. Il y avait une hutte ovale de 7 à 15 m de long, faite avec des poteaux et des piquets de bois entourés de pierres. Sur le sol, on a trouvé des vestiges de foyers avec des silex brûlés. Ce site a été consolidé : c'est aujourd'hui un musée consacré à la préhistoire. Il se trouve sous un grand immeuble moderne.

Jacques Briard, *Préhistoire de l'Europe*, Éd. Jean-Paul Gisserot, 1997

▶ Pourquoi a-t-on retrouvé plusieurs couches de vestiges dans ce site ?

▷ Sur la carte 2, situe Terra Amata. Nomme d'autres lieux dans lesquels on a découvert des vestiges de la préhistoire en France.

▶ Pourquoi ce « musée » se trouve-t-il sous un immeuble moderne ?

▷ Cherche dans les pages que tu as déjà étudiées d'autres vestiges découverts en France.

▷ Décris ce squelette et des parures. Quelles parties du corps reconnais-tu ? Dans quelle position se trouve-t-il ?

▷ Les animaux enterrent-ils leurs morts ?

▷ Pourquoi les êtres humains le font-ils ?

Des vestiges nombreux

On trouve dans de nombreuses régions en France des vestiges de la préhistoire : des outils en pierre (les plus vieux ont près d'un million d'années), des traces de campements et de foyers, des ossements et des tombes, et surtout un grand nombre d'œuvres d'art comme des sculptures, des gravures et des peintures rupestres (grotte Cosquer, grotte Chauvet, grotte de Lascaux) (doc. 1 et carte 2).

Des peuples successifs

Ces vestiges témoignent que des peuples successifs ont vécu en France depuis un million d'années. On ne sait pas exactement d'où ils venaient et comment ils ont disparu, et on sait encore peu de chose de leur vie.

Le plus ancien peuple dont on connaisse un peu le mode de vie est celui de Tautavel (du nom du village à côté duquel on a trouvé des vestiges). Ces

↑ 2 Des peuples successifs Reconstitution de la grotte de Tautavel il y a 450 000 ans

Dans une grotte près de Tautavel, dans les Pyrénées, on a retrouvé les vestiges d'un peuple de chasseurs qui vivaient il y a 450 000 ans environ. Ils étaient nomades et suivaient le gibier. Cette vaste caverne était située en hauteur, ce qui leur permettait de guetter les animaux (chamois, mouflons, rennes et bœufs musqués) et se trouvait non loin d'un point d'eau.

▷ Décris cette scène et ce que font les différents personnages.
▷ À quelle saison cette scène est-elle représentée ? Justifie ta réponse.
▷ Sur la carte 2, situe Tautavel.
▷ Sur la chronologie A, trouve à quelle époque les hommes de Tautavel vivaient.
Était-ce avant ou après les peintures de Lascaux ?

nomades vivaient dans le sud de la France il y a 450 000 ans environ. Ils chassaient les chamois, les mouflons, les bisons et les cerfs, utilisaient des outils simples et s'abritaient dans des grottes pendant les hivers (doc. 2).

Plus récemment, il y a 100 000 ans environ, un autre peuple que l'on appelle les « hommes de Néandertal », vivait en France. Ils ont, notamment, laissé des vestiges de tombes. Ils ont disparu il y a 35 000 ans environ, sans que l'on sache pourquoi.

À la même époque, un autre peuple, les *Homo sapiens sapiens* (homme qui sait qu'il sait), s'est installé dans toutes les régions de France. Ces humains sont les auteurs de nombreuses œuvres d'art, dont les peintures rupestres de Lascaux.

Cette espèce a peuplé toute l'Europe et le reste de la Terre tandis que toutes les autres espèces humaines disparaissaient : nous sommes donc leurs descendants et tous les humains actuels appartiennent à la même espèce qu'eux.

7 Les débuts de l'agriculture

1 **Les débuts de l'élevage** Peinture rupestre, réalisée il y a 4 000 ans, Tassili (Algérie)

▷ Décris cette peinture rupestre : les animaux, les personnes, ce qu'elles font…

▶ À quoi vois-tu que ces animaux sont élevés et non pas chassés ?

▶ Quels sont les avantages de l'élevage par rapport à la chasse ?

▷ Sur la carte 1, situe Tassili : sur quel continent cette grotte se trouve-t-elle ?

Les débuts de l'élevage

Il y a 10 000 ans, environ, certains groupes d'êtres humains ont commencé à domestiquer des animaux : des chiens, des moutons, des porcs, des bœufs, des chèvres, de la volaille (doc. 1 et chronologie A)… Les chiens étaient utilisés pour la chasse. Les autres animaux fournissaient de la viande, du lait, des œufs, du cuir et de la laine. La chasse et la pêche sont alors devenues, pour les peuples préhistoriques, des activités complémentaires.

Les premières cultures

À la même époque, certains groupes ont commencé à cultiver des plantes : de l'orge, du blé, du seigle, des pois, des lentilles, des fèves… L'agriculture a progressivement remplacé la cueillette des céréales sauvages. Pour la pratiquer, les peuples préhistoriques ont fabriqué de nouveaux outils : des haches pour défricher des terres, des houes pour retourner le sol, des faucilles pour moissonner, des meules pour moudre le grain (doc. 2).

↓ 2 Les premières cultures

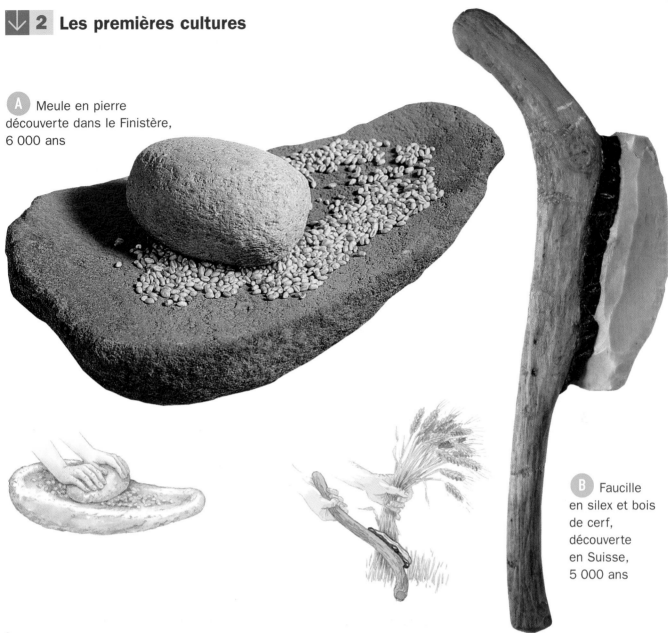

A Meule en pierre découverte dans le Finistère, 6 000 ans

B Faucille en silex et bois de cerf, découverte en Suisse, 5 000 ans

▷ Décris ces outils : leur forme, les matériaux avec lesquels ils sont faits...

▷ À quoi servaient-ils ? Comment les utilisait-on (mime les gestes à faire puis explique avec des mots) ?

▶ Que nous apprennent-ils sur les nouvelles activités à la fin de la préhistoire ?

▶ Quels sont les avantages de la culture par rapport à la cueillette ?

▶ Pourquoi a-t-on retrouvé les manches en bois de cerf mais pas les manches en bois d'arbre ?

La diffusion des nouvelles activités

Les peuples du Proche-Orient ont été les premiers à pratiquer l'agriculture, ce qui leur a permis de ne plus dépendre des hasards de la chasse et de la cueillette et d'améliorer leur alimentation (céréales, lentilles, pois... en plus de la viande, du poisson et des baies sauvages). Progressivement, ces activités se sont répandues parmi les autres peuples autour de la mer Méditerranée : elles ont atteint le sud de la France il y a 7 000 ans environ (carte 1).

LEXIQUE

● **l'agriculture** : la culture du sol et l'élevage des animaux.

● **des céréales** : des plantes qui fournissent des grains que l'on mange.

● **domestiquer** : apprivoiser un animal.

● **défricher** : couper les arbres et arracher la végétation naturelle pour pouvoir cultiver un terrain.

● **l'élevage** : l'activité qui consiste à nourrir et soigner des animaux.

8 La sédentarisation des peuples

→ **1 Les premières maisons**

A Reconstitution d'une maison en bois sur pilotis telle qu'elle était il y a 5 000 ans, Chalain (Jura)

B Reconstitution d'une maison en pierre telle qu'elle était il y a 4 000 ans, Cambous (Hérault)

▷ Décris ces maisons : leur forme, leur taille, les matériaux utilisés…

▷ Compare ces maisons aux huttes des nomades p. 17.

▷ Ces maisons ont-elles été construites par des nomades ? Justifie ta réponse.

▷ En quoi représentent-elles un progrès par rapport aux huttes des nomades ?

▷ Quelles raisons ont pu pousser les habitants de la maison en haut à la construire sur pilotis ?

▷ Pourquoi n'a-t-on pas retrouvé ces maisons et a-t-on dû les reconstituer ?

▷ Sur la carte 2, situe Charavines et Cambous en France.

Les premières maisons

Les peuples qui pratiquaient l'agriculture ont cessé de vivre en nomades pour s'installer près de leurs champs : ils sont devenus sédentaires. Ils ont construit des maisons plus vastes et plus solides que les huttes précaires, avec des murs en bois, en pierre ou en terre et des toits de végétation. Les plus grandes abritaient plusieurs familles. Certaines étaient installées sur pilotis pour protéger leurs habitants des inondations ou des bêtes sauvages (doc. 1).

Les premiers villages

Les peuples sédentaires ont rapidement pris l'habitude de regrouper leurs habitations et ont ainsi constitué les premiers villages (doc. 2). Ils s'installaient généralement près d'un point d'eau : près une rivière ou un lac. Progressivement, ils ont eu besoin de se défendre des attaques d'autres groupes : ils ont préféré des zones naturellement protégées (des hauteurs, les boucles des rivières…) et ont construit des fortifications autour de leurs villages. Certains villages étaient très petits

↑ **2 Les premiers villages** Reconstitution du village de Charavines il y a 5 000 ans

Ce village a été construit au bord d'un lac, il y a 5 000 ans environ. Il regroupait quelques maisons protégées des bêtes sauvages par une palissade et abritait environ 40 habitants.

▷ Décris ce village : les maisons, les environs, les personnes, leurs activités, leurs outils…

▶ Quels éléments ont été imaginés par les préhistoriens et par le dessinateur ?

▶ Cherche quelles raisons ont pu pousser les habitants à se regrouper dans un même village.

(quelques maisons), d'autres rassemblaient plusieurs centaines de familles. Les villageois se sont alors organisés en se spécialisant chacun dans une activité (élevage, cultures, fabrication des outils…). Certaines personnes ont acquis un pouvoir important sur le groupe.

Les plus anciens vestiges de villages ont été retrouvés au Proche-Orient et datent de 10 000 ans environ. Avec les activités agricoles, le mode de vie sédentaire et la vie en villages se sont répandus autour de la mer Méditerranée et ont atteint le sud de la France il y a 7 000 ans environ.

LEXIQUE

● **des fortifications** : des murs destinés à protéger un lieu contre les attaques ennemies.

● **des pilotis** : des poteaux plantés dans la terre sur lesquels on a construit une maison.

● **sédentaire** : qui a une habitation fixe.

● **la sédentarisation** : le fait de devenir sédentaire.

● **un village** : en histoire, un groupe isolé de maisons, dans lequel les habitants sont organisés.

Les mégalithes de Carnac

Dans les derniers millénaires de la préhistoire, certains peuples ont construit des monuments en pierre qui avaient sans doute une signification religieuse.

Les menhirs

→ 1 Les menhirs

Alignement de menhirs à Carnac
À Carnac, on a trouvé environ 3 000 pierres plantées dans le sol et alignées sur plusieurs rangées. Certaines pierres ont une hauteur de 7 à 10 mètres et pèsent plusieurs tonnes.

▷ Décris ce site : le paysage et sa végétation, la forme des menhirs et leur disposition…

▶ Pourquoi les archéologues sont-ils certains que ces pierres ne sont pas là par hasard mais qu'elles ont été installées volontairement à cet endroit ?

▷ Sur la carte 2, situe Carnac : sais-tu comment s'appelle cette région de France ?

→ 2 Le transport des menhirs

Reconstitution
Pendant longtemps, les historiens se sont demandés comment les peuples de la préhistoire avaient transporté et mis en place les menhirs. Les archéologues pensent qu'ils les faisaient rouler sur des troncs d'arbres.

▷ Décris les étapes supposées de la mise en place d'un menhir.

▶ Pourquoi les archéologues ne peuvent-ils vérifier leur idée ?

▶ Dans quelle bande dessinée parle-t-on des menhirs ?
Comment le héros transporte-t-il les menhirs ?
Cela est-il possible ?
Cette BD montre-t-elle l'époque préhistorique ?

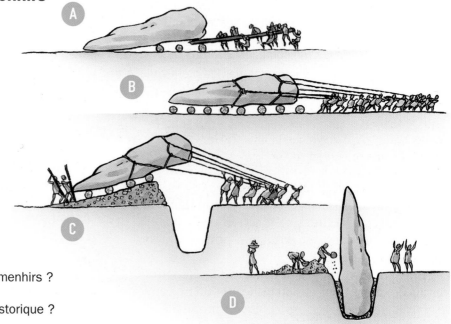

Les dolmens

3 Un dolmen

Dolmen de Keriaval à Carnac

Les dolmens ont été construits pour abriter les morts.
Ce sont des tombes collectives que l'on recouvrait d'un monticule de pierres.

▶ Décris ce que tu vois sur la photographie : la végétation, la forme du dolmen...

▶ Quelle est la différence de forme entre un menhir et un dolmen ?

▶ Pourquoi n'a-t-on pas retrouvé les pierres et la terre qui, autrefois, recouvraient ce dolmen ?

4 La construction des dolmens Reconstitution

Pour construire un dolmen, les hommes installaient d'abord les « pieds » (E).
Puis ils les recouvraient sans doute de terre (F) pour hisser la grosse pierre horizontale (G),
avant de dégager la terre (H).

LEXIQUE

● **un dolmen** : un monument constitué d'un ou de plusieurs blocs de pierre, qui a la forme d'une table.

● **un mégalithe** : un monument de pierre.

● **un menhir** : un monument constitué d'une seule pierre, dressée verticalement.

● **un monument** : une construction intéressante.

● **religieux** : qui a rapport à la croyance en un ou plusieurs dieux.

9 Les débuts de l'artisanat

→ 1 Des techniques améliorées

Peigne en ivoire, 5 000 ans, Égypte

▷ Décris ce peigne : sa forme, sa couleur, le matériau dans lequel il a été fabriqué.

▷ À ton avis, comment a-t-il été fabriqué ?

▷ En quoi ce peigne témoigne-t-il des progrès de la fin de la préhistoire ?

→ 2 Une nouvelle technique : la vannerie

Panier en osier, 5 000 ans, Espagne

▷ Décris ce panier : sa forme, la matière dans laquelle il a été fait...

▷ À ton avis, à quoi servait-il ?

Des techniques améliorées

Les peuples préhistoriques utilisaient le plus possible les objets qu'ils trouvaient dans la nature, comme des récipients naturels en corne, en coquillages ou en bois. Puis ils ont inventé des moyens de les transformer pour obtenir la forme désirée : bois creusés, pierres taillées, peaux cousues... Ils ont progressivement amélioré leurs techniques, ce qui leur a permis de fabriquer de nouveaux objets : des haches polies, des cuillères, des peignes, des épingles pour attacher les vêtements (doc. 1 et hache p. 12)...

De nouvelles techniques

Au fil du temps, les humains ont utilisé de nouvelles matières et inventé de nouvelles manières de fabriquer des objets. Ils ont imaginé comment tresser l'osier pour en faire des paniers (doc. 2), comment utiliser certains végétaux pour fabriquer des cordes, comment faire des fils avec le coton cultivé dans les champs ou la laine des moutons et comment en faire des tissus, comment les coudre et, plus tard, les teindre pour leur donner de belles couleurs. Dans différentes régions du monde, des populations ont découvert qu'en cuisant, l'argile

↓ 3 Une nouvelle technique : la céramique

Vase en terre cuite, 6 000 ans, Espagne

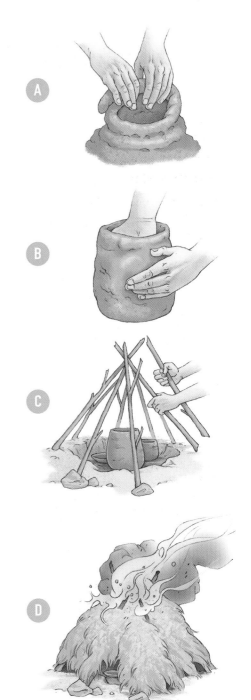

▷ Décris ce vase : sa forme, la matière, la couleur, les décors…

▶ À ton avis, à quoi servait-il ?

▶ Comment faisait-on avant l'invention de la céramique pour fabriquer des récipients ?

▶ À l'aide des dessins ci-contre, explique comment on a fabriqué ce vase ?

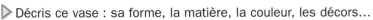

devenait solide. Elles ont alors fabriqué toutes sortes de récipients pour transporter, stocker et cuisiner les aliments (doc. 3).

Les premiers artisans

Progressivement, certaines personnes se sont spécialisées dans une activité : la céramique, le tissage, la vannerie… Elles ont ainsi été les premiers artisans. Chacun dans son domaine a amélioré et transmis ses techniques. Ainsi, la céramique s'est diffusée autour du bassin méditerranéen jusque dans le sud de la France.

LEXIQUE

● **un artisan** : une personne qui fabrique des objets à la main ou avec des outils simples.

● **l'artisanat** : la fabrication d'objets avec les mains ou avec des outils simples.

● **la céramique** : la poterie.

● **l'osier** : le rameau d'un arbre (le saule), que l'on peut tresser et tisser.

● **le tissage** : la technique qui permet de croiser régulièrement des fils pour en faire des tissus.

● **la vannerie** : le travail de l'osier.

10 Les débuts de la métallurgie

⬇ 1 **Des objets en métal**

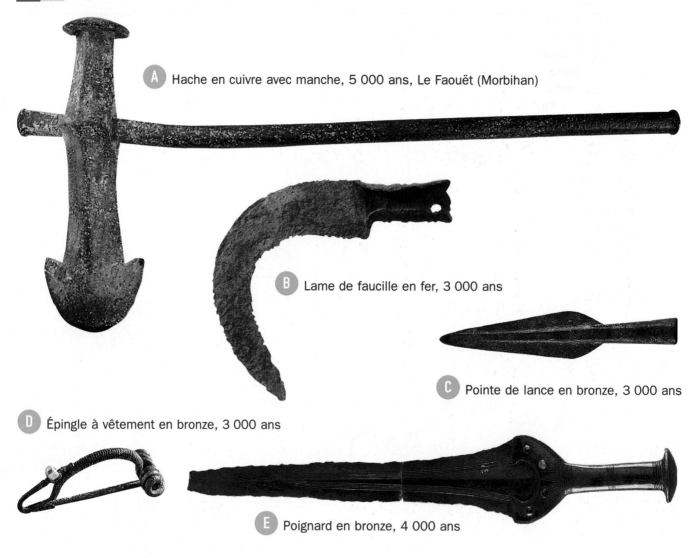

A Hache en cuivre avec manche, 5 000 ans, Le Faouët (Morbihan)

B Lame de faucille en fer, 3 000 ans

C Pointe de lance en bronze, 3 000 ans

D Épingle à vêtement en bronze, 3 000 ans

E Poignard en bronze, 4 000 ans

▷ Décris ces différents objets : leur forme, leur couleur, leur état, le métal utilisé…

▶ Où trouve-t-on les métaux servant à la fabrication de tels objets ?

▶ À quoi ces objets servaient-ils ? Lesquels étaient des outils agricoles ?
Lesquels étaient des objets de parure ? Lesquels étaient des armes ?

Des objets en métal

Parmi les vestiges de la fin de la préhistoire, les préhistoriens trouvent toutes sortes d'objets en métal : des bijoux et des objets de décoration, des outils agricoles (haches, faucilles) et les premières armes (doc. 1). Ces vestiges prouvent qu'à la fin de la préhistoire les êtres humains ont inventé des manières d'utiliser les métaux que l'on trouve dans le sol.

Le travail des forgerons

Les forgerons ont d'abord martelé des débris de métaux trouvés dans le sol, puis ils ont compris qu'en les chauffant, ils pouvaient les fondre et leur donner une forme plus précise (doc. 2). Ils ont travaillé l'or, le cuivre et l'étain, puis ils ont fabriqué le bronze, un alliage résistant de cuivre et d'étain, et, enfin, ils ont inventé des manières travailler le fer.

→ 2 Le travail des forgerons

Reconstitution

Les forgerons façonnaient un modèle dans la cire puis l'enveloppaient de glaise pour former un moule. Ils chauffaient le métal dans un four en terre jusqu'à ce qu'il fonde et s'écoule hors du four. Ils versaient alors le métal fondu dans le moule, faisant ainsi fondre et ressortir la cire. Lorsque le métal était refroidi, ils cassaient le moule et sortaient l'objet qu'ils polissaient pour en ôter les imperfections.

▷ Sur cette reconstitution, retrouve les différentes étapes de la fabrication d'un objet en métal.

▷ Quels objets ces forgerons sont-ils en train de fabriquer ?

▷ Compare ce mode de fabrication des outils avec la taille des outils en pierre : en quoi est-il plus rapide ? plus précis ?

▷ Permet-il de réparer les outils ?

La diffusion du savoir

La métallurgie a sans doute été inventée il y a 10 000 ans au Moyen-Orient (chronologie A). Cette technique s'est ensuite diffusée en Afrique et autour du bassin Méditerranéen, lentement car les forgerons gardaient leur savoir secret. Une métallurgie du cuivre s'est développée en Corse il y a 5 500 ans, avant le bronze il y a 4 000 ans environ (carte 2).

> **LEXIQUE**
>
> ● **agricole** : qui se rapporte à l'agriculture.
>
> ● **un alliage** : un mélange de plusieurs métaux.
>
> ● **un forgeron** : un artisan qui fabrique des objets en métal.
>
> ● **la métallurgie** : le travail des métaux.

2 L'Antiquité

de 3000 av. J.-C. à 476 ap. J.-C.

sommaire

11	L'histoire et le travail de l'historien	36
12	L'invention de l'écriture	38
13	La naissance des États	40
14	La « naissance » de la Gaule	42
15	Les Gaulois	44
16	La conquête de la Gaule par les Romains	46
17	La Gaule romaine	48
18	La romanisation de la Gaule	50
Dossier	Nîmes, ville gallo-romaine	52
19	Les artisans gaulois et gallo-romains	54
20	La religion des Gaulois	56
21	Les débuts du christianisme	58
22	La christianisation de la Gaule	60

Les premiers fonctionnaires : scribes égyptiens,
bas-relief, tombe de Ti, Saqqara, Égypte, vers 2500 av. J.-C.

11 L'histoire et le travail de l'historien

↓ 1 Les sources de l'histoire : les vestiges

Monnaie romaine en argent, 44 avant Jésus-Christ
Voici une pièce de monnaie que l'on utilisait dans la ville de Rome il y a 2 000 ans environ.

▷ Décris ce que tu vois sur cette pièce : le bateau, les personnages…

▶ Que nous apprend cette pièce sur la navigation à Rome au Iᵉʳ siècle av. J.-C. ? sur l'écriture à Rome au Iᵉʳ siècle av. J.-C. ?

▶ Cherche dans ce chapitre d'autres vestiges du passé.

↓ 2 Les sources de l'histoire : les sources écrites

Voici un texte rédigé par un voyageur arabe qui, au XIᵉ siècle, a visité le royaume de Ghana, en Afrique.

> **Témoignage d'un voyageur arabe.** Pour ses audiences, le roi de Ghana s'assied dans un pavillon, autour duquel sont rangés dix chevaux couverts d'étoffes d'or ; derrière lui se tiennent dix pages portant des boucliers et des épées en or ; à sa droite, les princes de l'empire sont vêtus d'habits magnifiques et ont les cheveux tressés avec des fils d'or. La porte du pavillon est gardée par des chiens de race, qui portent des colliers en or et en argent, avec des grelots. Des tambours annoncent le début de l'audience. Le peuple se rassemble alors. Les habitants qui paraissent devant le roi se mettent à genoux et se jettent de la poussière sur la tête : c'est leur manière de saluer le souverain.
>
> **D'après El Bekri, 1068**

▷ De quand date ce texte ?

▶ Le royaume de Ghana a existé du Vᵉ au XIIᵉ siècle : l'auteur a-t-il pu être témoin de ce qu'il décrit ?

▶ Que nous apprend ce texte sur la richesse des souverains de ce pays à cette époque ?

▶ Parmi les informations fournies par ce texte, cites-en une que des vestiges pourraient nous apprendre. Cites-en une qu'aucun vestige ne pourrait nous apprendre.

▶ En quoi ce texte est-il une source de l'histoire ?

▶ Cherche dans ce chapitre d'autres sources écrites.

L'histoire

Les vestiges de la préhistoire sont rares. En revanche, pour la période plus récente, les informations sont plus nombreuses. En effet, il y a 5 000 ans environ, les humains ont inventé l'écriture. Depuis, ils ont laissé des témoignages écrits sur leur vie. On connaît donc mieux le passé récent. On appelle « histoire » cette période du passé de l'humanité (par opposition à la « préhistoire », période « avant l'histoire », que l'on connaît moins). L'histoire est beaucoup moins longue que la préhistoire (3 millions d'années) (chronologies A et B).

Les sources de l'histoire

Les historiens s'intéressent aux grands événements qui ont marqué les différentes époques et à la manière dont on vivait autrefois. Pour les découvrir, ils disposent :
– de vestiges (objets de la vie quotidienne, œuvres d'art, bâtiments ou ruines…) (doc. 1) ;
– de sources écrites (textes de toutes sortes comme des lettres, des journaux, des lois…) (doc. 2) ;
– de sources orales, pour les périodes plus récentes, (témoignages des personnes sur les événements auxquels elles ont participé, récits de leur vie

→ 3 Les sources de l'histoire : les sources orales

Interview d'un ancien, Marseille
Les historiens, les journalistes aussi parfois, interrogent les personnes sur le passé, les événements auxquels elles ont assisté, la manière dont on vivait autrefois.

▷ Décris cette scène :
Où se trouvent ces deux hommes ?
Que font-ils ?

▷ As-tu déjà entendu une personne parler du passé ? Qu'est-ce que cela t'a appris ?

→ 4 Les sources de l'histoire : le travail des historiens

La bibliothèque Mazarine à Paris

▷ Décris cette salle : le lieu, les personnes qui travaillent, l'atmosphère…

▷ À quoi vois-tu que cette bibliothèque propose des livres anciens ?

▷ À ton avis, pourquoi des historiens viennent-ils y travailler ?

▷ Quels types de sources y trouvent-ils ?

▷ Trouve d'autres endroits dans lesquels ils peuvent aller pour compléter leurs recherches.

autrefois, histoires qu'elles ont entendues de leurs parents…) (doc. 3).
On appelle ces traces du passé les « sources » de l'histoire. Les historiens les étudient : ils reconstituent les vestiges, déchiffrent les textes, écoutent les témoignages, les comparent… (doc. 4).

Le temps et le calendrier

Pour situer les événements dans le temps, les historiens utilisent notre calendrier, qui compte le temps depuis la naissance de Jésus-Christ, il y a 2 000 ans environ (l'an 1). Ils considèrent que l'histoire a commencé 3 000 ans environ avant la naissance de Jésus (on dit 3 000 ans avant Jésus-Christ et on écrit 3000 av. J.-C.) dans les régions qui ont inventé l'écriture, plus tard dans celles où les sources écrites sont plus récentes.

Les historiens découpent l'histoire en grandes périodes : ils appellent la première l'Antiquité (chronologie B).

LEXIQUE

- **l'humanité** : l'ensemble des êtres humains.
- **un historien** : une personne qui étudie le passé.

12 L'invention de l'écriture vers –3000

1 L'invention de l'écriture Tablette en calcaire, vers 2500 av. J.-C., découverte en Mésopotamie

▷ Décris cette tablette : sa forme, sa couleur, les signes gravés.

▶ À ton avis, comment l'a-t-on gravée ? avec quel genre d'outil ?

▶ Quels sont les avantages de l'écriture dans la pierre ? Quels en sont les inconvénients ?

Ici, chaque signe représente un mot : la main désigne un propriétaire, les encoches sont des chiffres...

▶ Imagine de quoi ce texte peut parler.

▶ Si chaque signe représente un mot, combien faut-il connaître de signes pour écrire ?

▷ Sur la carte 3, situe la Mésopotamie.

▷ Sur la chronologie B, situe l'époque à laquelle cette tablette a été gravée : l'écriture existait-elle depuis longtemps ?

L'invention de l'écriture

À la fin de la préhistoire, plusieurs peuples, dans différentes régions du monde, ont inventé l'écriture : au Moyen-Orient vers 3500 av. J.-C., plus tard en Égypte, en Chine, en Inde... (chronologie B). L'écriture permettait de garder en mémoire des informations importantes et de les transmettre. Dans les écritures anciennes, des dessins représentaient les objets désignés : un épi pour le blé, une tête de bœuf pour un bœuf... (doc. 1)

L'invention de l'alphabet

Progressivement, les signes utilisés ont été simplifiés : ils ressemblaient de moins en moins à ce qu'ils désignaient. Mais pour écrire, il fallait connaître des milliers de signes (un signe par mot). Puis, vers 1200 av. J.-C., les habitants de la Phénicie ont inventé un alphabet, avec 22 signes représentant chacun non un mot mais un son (doc. 2). Cet alphabet a été adopté par tous les peuples vivant autour de la Méditerranée.

2 L'invention de l'alphabet

Inscription sur une pierre,
Phénicie, 222 av. J.-C.

▷ Décris cette tablette : sa forme,
sa couleur, les signes gravés.

▷ Certains de ces signes
ressemblent-ils à nos lettres ?
(Tourne le livre dans tous les sens.)

▷ Y a-t-il un grand nombre de signes
différents ?

▶ Quels sont les avantages
de l'alphabet (un signe par son)
par rapport à l'écriture plus ancienne
(un signe par mot) ? (Pense au nombre
de signes.)

▷ Sur la carte 3, situe la Phénicie.

▷ Sur la chronologie B, trouve
à quelle époque les Phéniciens
ont mis l'alphabet au point.

 ## 3 L'invention du papier

Feuille en papyrus, Égypte,
vers 1400 av. J.-C.

▷ Décris cette feuille : sa forme,
sa couleur, son état, les signes
utilisés...

▷ Décris les écrivains (scribes)
p. 34 : leur position, leur matériel...

▶ Quels sont les avantages
du papier par rapport à la pierre ?

▶ Quels en sont les inconvénients ?
(Pense à l'état de cette feuille.)

▷ Sur la carte 3, situe l'Égypte.

▷ Sur la chronologie B, trouve quand
et par qui le papier a été inventé.

L'invention du papier

Les différentes sociétés ont d'abord écrit sur des pierres qu'elles gravaient, ce qui était long (doc. 2). Elles utilisaient aussi des tablettes d'argile, légères et faciles à graver, qu'elles faisaient cuire pour les rendre solides (doc. 1). Plus tard, elles ont trouvé différents moyens de fabriquer des feuilles : à partir de tiges de papyrus ou de bambous croisés, de morceaux de bois séchés, de peaux d'animaux et de tissus comme la soie (doc. 3).

Vers le IIᵉ siècle avant J.-C., les Chinois ont inventé le papier, que les Arabes ont transmis au reste du monde à partir du VIIIᵉ siècle après J.-C.

LEXIQUE

- **un alphabet** : un système d'écriture simplifié, dans lequel chaque lettre représente un son.

- **le papyrus** : une plante que l'on trouve notamment en Égypte.

13 La naissance des États

⬇ 1 L'organisation des États : le pouvoir

Statue en pierre du prince Gudéa, Mésopotamie, vers 2150 av. J.-C.

▷ Décris cette statue : le prince, son attitude, son habillement, les inscriptions sur la statue.

▷ Quelles différences y a-t-il entre un chef et un prince (ou un roi) ?

▷ À ton avis, comment devient-on roi ?

▷ De nos jours, la France a-t-elle un roi ? un chef ?

⬇ 2 L'organisation des États : la première démocratie

Témoignage. Chez nous, à Athènes, les affaires publiques sont aux mains du plus grand nombre. C'est le plus grand nombre qui décide, car nous sommes une démocratie. Tout citoyen, même pauvre, a la possibilité de rendre service au pays. Nous vivons en liberté. Nous obéissons aux lois.

D'après Thucydide, Vᵉ siècle av. J.-C.

▷ Lis le texte et explique-le avec tes mots.

▷ L'auteur de ce texte a-t-il été témoin de ce qu'il raconte ? (Justifie ta réponse.)

▷ Quels sont les avantages de la démocratie par rapport à d'autres formes de pouvoir ?

▷ Comment, de nos jours, la population participe-t-elle à la démocratie en France ?

⬇ 3 L'organisation des États : les premières lois

Texte de loi. Si quelqu'un accuse un homme de meurtre, mais ne peut prouver ce qu'il dit, il sera tué. Si quelqu'un crève l'œil de quelqu'un d'autre, on lui crèvera l'œil. Si un homme frappe la joue d'un autre homme, il paiera 500 grammes d'argent.

D'après le code d'Hammourabi, Mésopotamie, vers 1750 av. J.-C.

▷ Lis le texte et explique-le.

▷ À quoi sert une loi ?

▷ Que penses-tu de cette loi : est-elle sévère ? juste ? Ressemble-t-elle à nos lois ?

Des premières villes aux États

À la fin de la préhistoire, la population de la Terre a augmenté grâce à l'amélioration des conditions de vie. Certains villages ont grossi jusqu'à devenir des villes et certaines villes ont étendu leur influence sur les territoires environnants. Des personnes de plus en plus éloignées les unes des autres se sont donc mises à reconnaître et respecter une même autorité : ainsi sont nés les premiers États (Mésopotamie, Athènes, Égypte…) (carte 3).

L'organisation des États

Dans ces premiers États, le pouvoir appartenait à une seule personne (un prince, un roi…) ou à un groupe de personnes choisies pour leur courage, leur intelligence ou leur capacité à diriger la société, ou encore parce qu'elles appartenaient à une famille puissante, riche (doc. 1). Ces chefs et rois étaient généralement des hommes, rarement des femmes car, dans la plupart des sociétés de l'Antiquité, celles-ci étaient considérées comme inférieures.

↑ **4** **L'organisation des États : les premières armées** Figurines, Égypte, 1500 av. J.-C.

▷ Décris cette armée : les soldats, leurs habits, leur coiffure, leur disposition, leurs armes…

▶ À quoi sert une armée ?

▷ Sur la carte 3, situe les cités et les États évoqués par les documents de cette leçon
(Mésopotamie, Athènes, Égypte) : sur quels continents se trouvaient-ils ?

▶ Cherche dans un atlas comment s'appellent les États qui, de nos jours, se trouvent à leur place.

Au Vᵉ siècle av. J.-C., la ville d'Athènes en Grèce s'est organisée en une démocratie : les habitants (les hommes seulement) votaient pour donner leur avis sur les décisions à prendre (doc. 2).

Pour bien fonctionner, les États ont mis en place :
– des lois organisant la vie ensemble (doc. 3) ;
– des fonctionnaires chargés de transmettre les ordres et de faire appliquer les lois (p. 34) ;
– des armées constituées de soldats chargés de maintenir l'ordre dans le pays et de défendre celui-ci contre d'éventuels ennemis (doc. 4).

LEXIQUE

● **une démocratie** : un État dans lequel le pouvoir appartient à tous.

● **un État** : une population sur un territoire, dirigée par une personne ou un groupe de personnes.

● **un fonctionnaire** : une personne qui travaille pour l'État.

● **une loi** : une règle à laquelle les habitants d'un État doivent obéir.

● **voter** : donner son avis pour que les décisions soient prises à la majorité.

14 La « naissance » de la Gaule

↓1 Le peuplement de la Gaule

Récit d'un événement survenu au VIIᵉ siècle av. J.-C. De jeunes Grecs arrivèrent dans un golfe au sud de la Gaule. Séduits par la beauté du lieu, ils allèrent retrouver le roi de la région pour lui demander l'autorisation de fonder une ville sur son territoire. Ce jour-là, le roi était occupé à préparer le mariage de sa fille Gyptis. Conformément à la coutume, celle-ci devait choisir son mari pendant le repas de noce. Le roi convia les Grecs au mariage. Pendant le repas, le roi dit à sa fille d'offrir de l'eau à celui qu'elle choisissait comme mari. Elle se tourna vers les Grecs et présenta l'eau à Protis. Celui-ci devint donc le gendre du roi et reçut un emplacement pour fonder sa ville, Marseille, non loin de l'embouchure du Rhône.

D'après Justin, IIᵉ siècle

▷ Raconte cette histoire avec tes propres mots.

▷ Quand cet événement a-t-il eu lieu ?
De quand date ce récit ? L'auteur a-t-il pu être témoin de ce qu'il raconte ? (Justifie ta réponse.)

▷ À l'aide de la carte 3, trouve d'où ces Grecs arrivaient. Sais-tu comment s'appelle ce pays de nos jours ?

▷ Sur la carte 4, situe Massilia.
Comment cette ville s'appelle-t-elle de nos jours ?

▷ Comment notre pays s'appelait-il pendant l'Antiquité ?

▷ D'après la carte, quels autres peuples se sont installés dans notre pays à cette époque ?

↓2 Un même peuple

Statue d'un paysan gaulois, moulage de l'original en bronze, découvert à Vileron (Vaucluse), Iᵉʳ siècle

La plupart des Gaulois s'habillaient avec des braies (pantalon), une tunique et une saie (cape en peau ou en tissu) ou un pénuel (manteau à capuchon).

▷ Décris cette statue : le paysan, son allure…

▷ Les historiens ont longtemps décrit les Gaulois comme des hommes à cheveux longs, avec des tresses. Cette description correspond-elle à ce Gaulois ?

Le peuplement de la Gaule

Au début de l'Antiquité, des descendants des peuples de la préhistoire vivaient en petits groupes sur le territoire de la France, mais on sait peu de choses à leur sujet. À partir du VIIᵉ siècle av. J.-C., des Celtes venus du centre de l'Europe se sont installés dans l'Est et le Nord du pays, puis sur tout le territoire (carte 4 et chronologie C). À la même époque, des Grecs sont arrivés par la Méditerranée et se sont installés dans le Sud (doc. 1).

Un même peuple

Progressivement, ces populations se sont mélangées pour former un même peuple : leurs voisins les appelaient les « Gaulois ». Les Gaulois avaient le même mode de vie et les mêmes coutumes, avec des différences locales (doc. 2). Ils parlaient la langue des Celtes et, comme les Grecs, ils cultivaient la vigne et faisaient du commerce avec les peuples autour de la Méditerranée. Ceux qui savaient écrire utilisaient l'alphabet grec.

↓ 3 Un peuple guerrier et divisé

Épée et casque gaulois en bronze, Iᵉʳ siècle av. J.-C., découverts à Alésia (Côte-d'Or), et reconstitution d'un guerrier gaulois

▶ Décris ces armes : leur forme, leur couleur, leur aspect, leurs ornements…

▶ Décris le guerrier, sur la reconstitution : ses armes (en retrouvant celles présentées par les photographies), ses vêtements (en réutilisant les mots braies, tunique et saie), sa coiffure, son allure…

▶ Parmi ces armes : lesquelles sont offensives (servent à se battre), lesquelles sont défensives (servent à se défendre) ?

▶ Compare ce guerrier aux guerriers gaulois représentés dans les albums d'*Astérix* et trouve au moins une ressemblance et deux différences.

> Récit d'un voyageur romain. Les Gaulois sont passionnés par la guerre, ils se mettent vite en colère et aiment se battre. Si on les excite, ils se ruent tous ensemble à la bataille, sans se cacher et sans regarder à droite ni à gauche. Ils sont simples et très irréfléchis, vantards, barbares et sauvages. La victoire les rend insupportables mais la défaite les plonge dans la stupeur.
>
> **D'après Strabon, Iᵉʳ siècle av. J.-C. - Iᵉʳ siècle ap. J.-C.**

▶ Relève tous les adjectifs dans ce texte.

▶ Comment Strabon décrit-il les Gaulois ?

▶ Strabon attribue-t-il une seule qualité aux Gaulois ?

▶ Quelle est l'opinion de Strabon sur les Gaulois ?

Un peuple guerrier et divisé

Les Gaulois étaient divisés en tribus indépendantes, ayant chacune un chef. Ensemble, elles ne formaient pas un État uni et s'affrontaient dans des guerres violentes, s'alliant parfois contre un ennemi commun (doc. 3).

Pour se défendre, les tribus gauloises construisaient des forteresses appelées « oppidums » dans des lieux peu accessibles : au sommet des collines, dans les boucles des rivières… (carte 4)

LEXIQUE

- **une tribu** : un groupe de gens qui possèdent la même langue, la même religion et obéissent au même chef.

- **une coutume** : une habitude, une manière de vivre propre à une population

- **une forteresse** : un lieu protégé des combats.

- **s'allier** : s'unir à quelqu'un, le soutenir.

15 Les Gaulois

1 La société gauloise

Récit d'un général romain qui a voyagé en Gaule. En Gaule, il y a deux classes d'hommes importantes : celle des druides et celle des chevaliers. Les druides s'occupent des affaires religieuses. Ils instruisent les jeunes. Si un meurtre est commis, s'il y a une dispute au sujet d'un héritage ou des limites d'un terrain, ils jugent et fixent les amendes. Les druides ne vont pas à la guerre et ne paient pas d'impôts. Les chevaliers participent à la guerre. Chacun, en fonction de sa richesse, rassemble autour de lui un nombre plus ou moins grand de compagnons. Les gens du peuple sont presque des esclaves. On ne leur demande jamais leur avis. Ils sont parfois écrasés par leurs dettes ou par les impôts.

D'après Jules César, *Guerre des Gaules*, 1er siècle av. J.-C.

▷ Quelles étaient les trois catégories d'hommes dans la société gauloise ?

▷ Qu'est-ce que ce texte nous apprend sur les gens du peuple ?

▷ Qu'est-ce que ce texte nous apprend sur les guerriers ?

▷ Qu'est-ce que ce texte nous apprend sur les druides ?

▷ Quel temps l'auteur de ce texte emploie-t-il ? À quelle époque a-t-il vécu ?

▶ A-t-il pu être témoin de ce qu'il raconte ? (Aide-toi de la chronologie C pour répondre.)

2 Un pays riche : la monnaie

Monnaie gauloise en or, 1er siècle av. J.-C.

Au début de l'Antiquité, les Gaulois pratiquaient le troc : ils échangeaient un objet contre un autre de même valeur. L'invention de la monnaie a permis de développer le commerce : la monnaie était facile à transporter et, surtout, elle permettait d'acheter un produit à un vendeur même si l'on n'avait rien à lui vendre.

▷ Décris cette pièce de monnaie : sa forme, sa couleur, les inscriptions…

▶ Y a-t-il une indication de la valeur de cette pièce ?

▶ À ton avis, comment les Gaulois pouvaient connaître sa valeur ?

▶ En quoi l'invention de la monnaie a-t-elle représenté un progrès ?

La société gauloise

La société gauloise était divisée en trois catégories : le peuple, les guerriers et les druides (doc. 1). Les gens du peuple, artisans et agriculteurs, étaient les plus nombreux. Les agriculteurs cultivaient des céréales (blé et orge) et la vigne ou élevaient des chevaux et des porcs. Ils habitaient dans des villages constitués de huttes en bois et en argile, avec un toit de chaume. Les artisans étaient reconnus pour leur habileté dans le travail du bois et des métaux. Paysans et artisans vivaient simplement, et payaient de lourds impôts.

Les deux autres catégories, guerriers et druides, dirigeaient la société gauloise. Les guerriers défendaient la tribu : c'est parmi eux que les chefs étaient choisis. Les druides étaient des prêtres puissants et respectés.

| L'âne pousse la moissonneuse. | La moissonneuse roule sur deux roues. | Les dents coupent les épis. | Le réservoir recueille les épis coupés. | Le paysan recule en redressant les épis. |

↑ **3** **Un pays riche : la moissonneuse** Bas-relief, IIe siècle, découvert en Belgique

▷ Décris ce bas-relief : son aspect, ce qu'il représente.

▷ Dans quel sens la moissonneuse avance-t-elle ? (Regarde dans quel sens se trouve l'âne.)

▷ En quoi la moissonneuse représente-t-elle un progrès par rapport à la faucille de la p. 25 ?

Un pays riche

La Gaule était un pays riche. Grâce à des techniques perfectionnées comme la moissonneuse, son agriculture produisait en quantité (doc. 3). Le commerce avec les peuples voisins permettait aux Gaulois d'acheter du cuivre et de vendre du vin, des poteries et des esclaves. L'usage de la monnaie a permis de développer le commerce (doc. 2).

LEXIQUE

● **un bas-relief** : une sculpture dont le relief est peu marqué.

● **un druide** : un chef religieux chez les Gaulois.

● **un esclave** : une personne qui appartient à un maître, travaille pour lui, lui obéit et peut être vendue.

1 Rome et son armée Reconstitution d'un soldat romain

L'armée romaine était bien organisée et très disciplinée. Les soldats étaient répartis par groupes sous le commandement d'un officier. Sur le champ de bataille, ils se plaçaient selon un plan et avançaient selon une tactique définis à l'avance.
Pour se protéger, ils établissaient des camps entourés de fortifications.

▷ Décris ce soldat romain.

▷ Compare-le au guerrier gaulois p. 43 et trouve au moins deux différences.

▷ Sur la carte 3, situe Rome : dans quel pays se trouve cette ville ?

▷ Situe et nomme les territoires conquis par les Romains.

2 Les Gaulois contre les Romains

Récit d'un général romain qui a voyagé en Gaule. Vercingétorix appelle les Gaulois à se joindre à lui. Il leur explique qu'il faut prendre les armes pour sauver la liberté de la Gaule. Il envoie des messagers à toutes les tribus. Il ordonne qu'on lui amène des soldats. Il fixe la quantité d'armes que chaque tribu doit fabriquer. Il convoque les chefs. Il leur explique : « On doit priver les Romains de vivres et de four-rages : l'ennemi sera obligé de partir. Il faut brûler les oppidums, de peur que les Romains en tirent des vivres. Ces moyens semblent durs, mais il serait plus dur encore de voir nos femmes et nos enfants traités en esclaves et que nous soyons égorgés. »

D'après Jules César, *Guerre des Gaules*, Ier siècle av. J.-C.

▷ Qui est Vercingétorix ? Contre qui veut-il se battre ?
▷ Que réclame-t-il aux Gaulois ?
▷ Quelle est sa tactique ?
▷ Qui est l'auteur de ce texte ?
▷ À quel camp appartient-il ?

Rome et son armée

Durant l'Antiquité, la ville de Rome a constitué une armée puissante et bien équipée, qu'elle a envoyée à la conquête de l'Italie puis de régions de plus en plus lointaines (doc. 1). Très disciplinée, cette armée suivait une stratégie précise qui la rendait supérieure à ses ennemis, lesquels combattaient souvent dans le désordre. À la fin du Ier siècle av. J.-C., les Romains dominaient tout le pourtour de la Méditerranée (carte 3).

Les Gaulois contre les Romains

Les Romains, qui faisaient du commerce avec les Gaulois, étaient attirés par les richesses de la Gaule et voulaient en prendre le contrôle. En 125 av. J.-C., l'armée romaine conquit une vaste région au sud de la Gaule, et en fit une province romaine appelée « Narbonnaise » (carte 3 et chronologie C). Au Ier siècle av. J.-C., le général romain Jules César profita de la division entre les tribus gauloises pour se lancer à la conquête du reste de la Gaule.

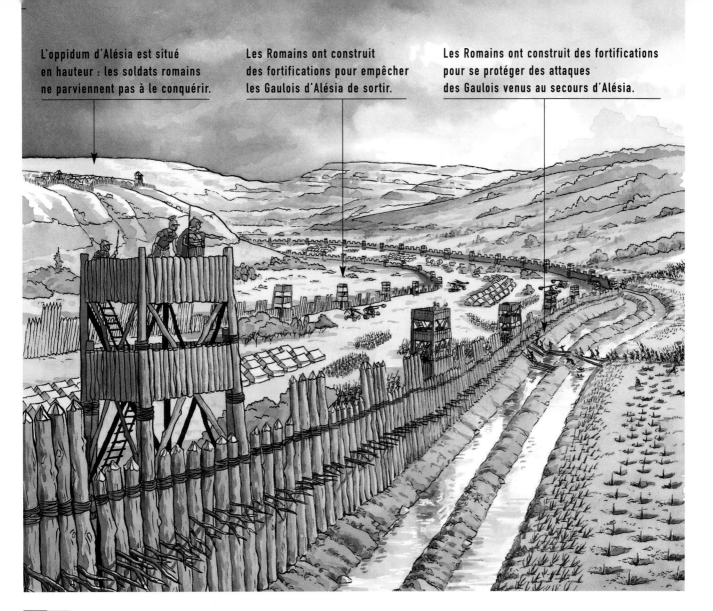

L'oppidum d'Alésia est situé en hauteur : les soldats romains ne parviennent pas à le conquérir.

Les Romains ont construit des fortifications pour empêcher les Gaulois d'Alésia de sortir.

Les Romains ont construit des fortifications pour se protéger des attaques des Gaulois venus au secours d'Alésia.

↑ 3 Les Gaulois contre les Romains : Alésia Reconstitution

▷ Décris le siège d'Alésia : l'oppidum gaulois, le camp romain et ses fortifications...
▷ Pourquoi les Romains ne peuvent-ils conquérir Alésia ?
▷ Pourquoi les Gaulois d'Alésia ne peuvent-ils vaincre le campement romain ?
▷ Pourquoi les Gaulois arrivés pour porter secours aux Gaulois d'Alésia ne peuvent-ils atteindre l'oppidum ?
▷ Pourquoi les Gaulois d'Alésia ont-ils finalement été obligés de se rendre ?
▷ Sur la carte 4, situe Alésia.

En 52 av. J.-C., plusieurs tribus gauloises s'allièrent sous l'autorité de Vercingétorix, chef de la tribu des Arvernes, pour lutter contre les Romains (doc. 2). Ils remportèrent une victoire contre l'armée de Jules César à Gergovie (carte 4). Mais, quelques semaines plus tard, les Romains les bloquèrent dans l'oppidum d'Alésia (doc. 3). Après un siège de deux mois, les Gaulois, affamés, furent contraints de se rendre et Vercingétorix fut emprisonné. La Gaule perdit son indépendance et devint une province romaine.

LEXIQUE

● **l'indépendance** : la liberté, le fait de n'être soumis à aucune autorité.

● **un oppidum** : une ville gauloise entourée de fortifications.

● **le siège (d'une ville)** : l'encerclement d'une ville par une armée pour empêcher les habitants de s'approvisionner et les obliger à se rendre.

17 La Gaule romaine

↑ 1 La Gaule, province romaine Le pont du Gard, Iᵉʳ siècle

▷ Décris ce pont et explique en quoi il facilitait la circulation dans cette vallée.

▶ Pourquoi était-il important que les troupes romaines circulent facilement en Gaule ?

▷ Sur la carte 5, situe le pont du Gard en Gaule.

▶ La partie haute du pont servait d'aqueduc : cherche dans un dictionnaire ce que c'est.

La Gaule, province romaine

Sous la domination romaine, la Gaule fut divisée en trois provinces : l'Aquitaine, la Celtique et la Belgique, en plus de la Narbonnaise, romaine depuis 125 av. J.-C. Les Romains firent de Lyon la capitale des Gaules (carte 5). Ils établirent la paix entre les Gaulois et construisirent une ligne de fortifications au nord contre d'éventuelles invasions.

Pour faciliter la circulation de l'armée et contrôler le pays, les Romains construisirent des routes et des ponts (doc. 1 et carte 5).

La citoyenneté romaine

Comme les autres peuples dominés par Rome, les Gaulois devaient payer un impôt. Un grand nombre d'entre eux adopta le mode de vie des

Statue d'un Gallo-Romain, découverte à Vachères, Iᵉʳ siècle

▷ Décris cette statue.

▷ Compare-la à la reconstitution
d'un guerrier gaulois p. 43
et trouve au moins un point commun.

▷ Compare cette statue à la reconstitution
d'un soldat romain p. 46
et trouve au moins un point commun.

▷ Que peux-tu en conclure
sur le mode de vie des « Gallo-Romains » ?

Discours d'un empereur romain, en 48, pour demander que l'on donne la citoyenneté romaine à certains Gaulois. Nos ancêtres ont décidé que les meilleurs hommes de nos territoires, de n'importe quelle région, du moment qu'ils sont honorables et riches, peuvent devenir sénateurs. Eh quoi ? Un sénateur italien serait meilleur qu'un sénateur venu d'une de nos provinces ? Je ne crois pas qu'il faille repousser les provinciaux, du moment qu'ils font honneur à cette assemblée. La province Narbonnaise nous envoie déjà des sénateurs. Et maintenant je veux plaider la cause de la Gaule. Certes, ses habitants ont fait pendant dix ans la guerre à Jules César, mais il y a eu depuis cent années de fidélité et d'obéissance.

D'après une plaque de bronze découverte à Lyon

▷ Qui a fait ce discours ?

▷ Quelle source historique a permis de le connaître ?

▷ Qui, d'après ce texte, pouvait devenir sénateur ?

▷ Que demande l'empereur pour les Gaulois ?

▷ Quel argument utilise-t-il pour prouver la loyauté des Gaulois ?

▷ Quel argument utilise-t-il pour montrer que leur accès à la citoyenneté serait positif pour Rome ?

Romains. Ils se mirent à s'habiller comme eux, à parler latin. Beaucoup de ces « Gallo-Romains » voulaient devenir citoyens romains pour avoir le droit de posséder des terres, de voter et d'occuper des fonctions de commandement dans les villes. La qualité de citoyen fut d'abord réservée à une élite. Au IIIᵉ siècle, la citoyenneté romaine a été étendue à tous les hommes libres (tous les hommes sauf les esclaves) (doc. 2).

LEXIQUE

● **un citoyen** : une personne qui a des droits et des devoirs dans la société dans laquelle elle vit.

● **une élite** : un petit groupe de personnes qui ont des qualités ou des droits particuliers et sont supérieures aux autres.

● **l'empereur romain** : le chef suprême de Rome et de ses territoires.

18 La romanisation de la Gaule

→ 1 Les campagnes gallo-romaines

▷ Redis ce texte avec tes propres mots.

▷ Ce propriétaire est-il un petit paysan ou possède-t-il une grande ferme ? Justifie ta réponse.

> **Récit d'un poète gallo-romain.** Je cultive 100 hectares de champs. Sur la moitié, il y a de la vigne, sur un quart des prairies et il y a aussi des forêts. Il y a une source, un petit puits et le fleuve, pur et navigable. Pour cultiver les champs, le personnel n'est ni trop nombreux, ni insuffisant. Mon domaine n'est ni éloigné de la ville ni tout près. J'ai toujours dans mes granges deux années de récolte d'avance, car la faim peut venir rapidement pour qui n'a pas de provisions.
>
> **D'après Ausone, IVe siècle**

↓ 2 Les villes gallo-romaines : les jeux du cirque Mosaïque, IIe siècle

Dans des arènes comme celles de Nîmes, les Gallo-Romains assistaient à des spectacles au cours desquels des gladiateurs combattaient ou affrontaient des animaux sauvages.

▷ Décris ces « jeux du cirque » : les personnes, les animaux...
▷ Cherche comment on fabrique une mosaïque.

Les campagnes gallo-romaines

La conquête romaine a peu changé la vie des agriculteurs, qui ont continué à cultiver la terre et à élever quelques animaux. En revanche, les Romains ont encouragé la création de grandes fermes dans lesquelles de riches propriétaires produisaient du blé, du vin, des olives (pour l'huile), des fruits et élevaient des animaux. La paix dans le pays et la construction de routes permettaient de transporter ces produits jusqu'à Rome (doc. 1).

Les villes gallo-romaines

Les Romains et les Gallo-Romains ont transformé les petites villes gauloises et construit de nouvelles villes. Les villes gallo-romaines étaient organisées sur le modèle des villes romaines : elles comportaient généralement une grande place centrale (le forum), de nombreux équipements (comme des fontaines alimentées en eau) et des monuments semblables à ceux des autres villes romaines : des arcs de triomphe qui célébraient les victoires

3 **Les villes gallo-romaines** Reconstitution

▷ Décris cette ville : les bâtiments, les équipements, les rues, les personnes, leurs vêtements…

▷ Quelles sont les activités des différentes personnes ?

▷ Quel monument reconnais-tu ?

▷ Compare cette reconstitution à celle du village préhistorique p. 27 et trouve quelques différences.

romaines, des théâtres, des cirques et des arènes…
(doc. 3) Dans ces villes, les citadins les plus riches
adoptaient le mode de vie des Romains. Ils parlaient le latin (la langue parlée à Rome). Comme
les Romains, ils se réunissaient sur le forum pour
discuter et organiser la vie de la ville. Ils se rendaient aux thermes pour y prendre des bains, pratiquer des activités sportives, lire des livres et ren-
contrer leurs amis. Ils assistaient aux spectacles
donnés dans les arènes et les cirques : combats
d'animaux ou de gladiateurs (doc. 2).

LEXIQUE

● **un arc de triomphe** : un monument en forme
d'arche qui commémore une victoire.

● **des arènes** : les lieux où se déroulaient les spectacles romains.

● **une civilisation** : l'ensemble des façons de vivre,
de penser, de s'organiser propres à un peuple.

● **un forum** : une grande place au centre de la ville.

● **la romanisation** : l'adoption du mode de vie des
Romains.

● **les thermes** : les bains publics.

Nîmes, ville gallo-romaine

Les Gallo-Romains ont transformé les villes gauloises et construit de nouvelles villes.
Nîmes, dans le sud de la France, est ainsi devenue une grande ville gallo-romaine.

→ 1 Des fortifications

La tour Magne, Ier siècle

Pour protéger Nîmes, les Gallo-Romains
l'ont entourée d'un gigantesque mur
de 32 m de hauteur, gardé par 80 tours.
Cette tour était la plus grande, mais elle
a perdu un étage au fil du temps.

▷ Décris cette tour : sa taille, sa forme,
son état...
▷ À quoi vois-tu qu'elle est ancienne ?
▷ Compare-la à celles présentes
dans les remparts romains autour d'Alésia
(p. 47) : forme, matériaux...

↓ 2 Des équipements

Fontaine, Ier siècle

Un canal long de 50 km, qui passait
sur le pont du Gard, amenait de l'eau
jusqu'à ce bassin, à Nîmes.
L'eau repartait par des canalisations
vers les fontaines et les différents
quartiers de la ville.

▷ À ton avis, com-
ment les Gaulois
s'approvisionnaient-
ils en eau avant
la construction
du pont du Gard ?
▷ En quoi l'exis-
tence de ce bassin
montre-t-elle que
les Gallo-Romains
menaient une vie
plutôt agréable ?

→ 3 Des monuments

La « Maison carrée » de Nîmes,
Ier siècle

Ce monument a été construit
sur la place du marché à Nîmes,
sur le modèle d'un temple
de Rome. Les Gallo-Romains
s'y rencontraient pour discuter
des affaires de la ville.

▷ Décris ce temple.

▶ Y a-t-il, dans la ville près
de chez toi, un monument
qui lui ressemble ?

→ 4 Des lieux de distraction

Les arènes de Nîmes, Ier siècle
Ces arènes, longues de 133 m,
pouvaient accueillir 20 000
spectateurs.

▷ Décris ces arènes.

▷ Où les gladiateurs se plaçaient-ils
pour combattre ?

▷ Où les spectateurs s'installaient-
ils pour regarder ?

▷ Connais-tu un monument
qui ressemble à ces arènes ?

▶ Cherche, autour des arènes,
un élément qui ne date pas
de l'Antiquité.

▶ Fais des recherches
pour savoir en quelle occasion
les arènes de Nîmes sont
encore utilisées de nos jours.

▷ Sur la carte 5, situe Nîmes.

▷ Quels autres vestiges
gallo-romains se trouvent
dans la région ?

> **LEXIQUE**
>
> ● **un temple** : un bâtiment dans
> lequel on organise des cérémo-
> nies religieuses.

19 Les artisans gaulois et gallo-romains

⬆ 1 Le travail des forgerons

Coq en bronze, IIe siècle

Le coq (*galli* en latin), était le symbole des Gaulois.

▷ Décris ce coq : son aspect, son allure…

▷ Dans quelles circonstances peut-on voir le coq comme symbole de la France ?

⬆ 2 Les autres artisanats

Le cordonnier, bas-relief gallo-romain, IIe siècle

▷ Décris ce bas-relief et le cordonnier : son matériel, la manière dont il est installé.

▷ À ton avis, quels autres objets de la vie quotidienne les artisans gaulois devaient-ils fabriquer ?

Le travail des forgerons

Les fouilles archéologiques ont permis de retrouver de nombreux vestiges en métal datant de l'époque gauloise puis gallo-romaine. Les forgerons de la Gaule étaient réputés pour leur travail du bronze et surtout du fer. Ils fabriquaient toutes sortes d'objets, notamment des armes (épées, fourreaux d'épées) qu'ils décoraient en assemblant des métaux différents (doc. 1 et épée p. 43).

Les autres artisanats

Les artisans gaulois puis gallo-romains fabriquaient des objets de la vie quotidienne : des vêtements, des chaussures, des couverts… (doc. 2). Ils étaient renommés pour le travail du bois et pour leurs céramiques.

Ils fabriquaient aussi des objets précieux comme des récipients en verre et de très beaux bijoux (doc. 3).

→ 3 Les autres artisanats

Torque en or, découverte à Soucy (Yonne), IIIe-Ier siècle av. J.-C.
Vase en verre, IIe siècle

▷ Décris ces deux objets.

▷ Sur la reconstitution du guerrier gaulois p. 43, retrouve ce torque.

▶ En quoi ces objets témoignent-ils de l'habileté des artisans gaulois ?

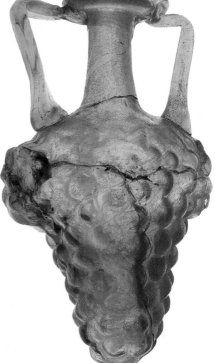

↓ 4 Des artisans inventifs

Bas-relief gallo-romain, Cabrière d'Aygues (Drôme), Ier siècle

▷ Décris ce bas-relief : son aspect et ce qu'il représente.

▷ Que fait la personne qui se trouve dans le bateau ?

▷ Que font les deux personnes devant le bateau ?

▷ Qu'y a-t-il dans le bateau ?

▶ Avant l'invention du tonneau, comment transportait-on le vin ? Quels sont les avantages du tonneau ?

Des artisans inventifs

Les artisans gaulois ont réalisé des inventions importantes, qui se sont ensuite répandues en Europe et que nous utilisons encore de nos jours : le tonneau, plus pratique que les vases en céramique pour transporter le vin ; le fer à cheval cloué sous les sabots des chevaux pour les protéger de l'usure ; les roues cerclées de métal sans clous ; mais aussi le savon et le matelas (doc. 4).

LEXIQUE

● **une céramique** : un objet en céramique, une poterie.

● **un fourreau d'épée** : l'étui dans lequel on range une épée.

● **un torque** : un collier porté par les hommes, chez les Gaulois.

20 La religion des Gaulois

1 Les dieux gaulois

La déesse Épona, statue gauloise en bronze, IIe siècle, découverte à Champoulet (Loiret)
Le dieu Toutatis, statue gauloise en bronze, Ier siècle, découverte à Saint-Maur-en-Chaussée (Oise)

▷ Décris ces deux statues.

▷ Quels éléments ont permis à l'artiste d'indiquer qu'Épona était la déesse des Chevaux et des Cavaliers et Toutatis le dieu de la Guerre ?

Les dieux gaulois

Les peuples de la Gaule croyaient en l'existence de plusieurs dieux et déesses : par exemple, Toutatis était le dieu de la Guerre chargé de protéger les tribus, Cernunnos était le dieu de la Végétation chargé de réveiller la nature au printemps, Épona était la déesse des Chevaux et des Cavaliers… (doc. 1) Les Gaulois représentaient ces dieux et déesses sous la forme d'hommes et de femmes, d'animaux, parfois sous des aspects terrifiants.

La pratique de la religion

La religion était l'affaire des druides, chefs religieux très respectés. Ils organisaient des cérémonies et pratiquaient des sacrifices d'animaux, généralement dans des lieux qu'ils considéraient comme sacrés : près de certaines rivières et sources, près de certains arbres dans les forêts (doc. 2).

Chaque année, les druides de toute la Gaule se réunissaient dans la forêt des Carnutes pour rendre hommage à leurs dieux (carte 4).

↑ **2** **La pratique de la religion** Reconstitution d'une cérémonie

Les cérémonies religieuses celtes étaient organisées par les druides.

▷ Décris cette cérémonie : le lieu, le moment de la journée, les personnes, ce qui se passe.

▷ À quoi reconnais-tu le druide ?

▷ Quels animaux ont été sacrifiés ?

La romanisation de la religion

Avec la romanisation, les Gaulois intégrèrent les dieux romains à leur propre religion : par exemple, Mars, le dieu de la Guerre chez les Romains, fut assimilé à Toutatis. Les Gaulois se mirent également, comme les Romains, à vénérer l'empereur romain comme un dieu. Peu à peu, le culte se transforma pour ressembler de plus en plus à celui des Romains et les Gallo-Romains prirent l'habitude de le pratiquer dans les temples.

LEXIQUE

● **le culte** : les cérémonies religieuses.

● **un dieu, une déesse** : un être (masculin ou féminin) qui aurait des pouvoirs sur l'Univers.

● **une religion** : un ensemble de croyances selon lesquelles l'homme reconnaît l'existence d'un ou de plusieurs êtres supérieurs (les dieux) qui agissent sur sa vie et à qui il doit obéissance.

● **sacré** : à qui on doit un respect d'ordre religieux.

● **un sacrifice** : une offrande à un dieu.

21 Les débuts du christianisme

1 Le monothéisme

Text religieux.
Écoute Israël : le Seigneur notre Dieu est unique.

D'après la Bible, Deutéronome 6, 4,
VIe siècle av. J.-C.

▶ En quoi la religion évoquée ici est-elle différente de celle des Gaulois ?

▶ Sur la carte 3, situe le Proche-Orient où les Hébreux vivaient.

2 Jésus et son enseignement

Discours de Jésus sur la montagne, miniature, XIIIe siècle

Jésus, en haut, a deux doigts levés, ce qui signifie qu'il enseigne. Ses proches se situent à gauche et à droite : on les reconnaît à l'auréole de lumière autour de leur tête. Plus bas se trouve la foule. L'artiste a suggéré l'émotion de certaines personnes en les représentant avec une main sur la poitrine.

▶ Décris cette miniature : le lieu, les personnes, leur habillement, leur attitude…

▶ Cette miniature est-elle une source de l'histoire ? Justifie ta réponse.

Le monothéisme

Autrefois, les peuples étaient tous polythéistes : comme les Gaulois et les Romains, ils croyaient en l'existence de plusieurs dieux. Seuls les Hébreux (les Juifs), au Proche-Orient, étaient monothéistes (doc. 1). Au Ier siècle, leur pays, comme tout le pourtour de la Méditerranée, était dominé par les Romains (carte 3).

Jésus et son enseignement

Au Ier siècle, un homme nommé Jésus de Nazareth parcourut la Palestine en prônant la croyance en un seul dieu et un mode de vie fondé sur la fraternité entre les hommes (doc. 2 et 3 et chronologie B). Considéré comme un agitateur par certains, Jésus fut condamné à mort et crucifié à Jérusalem. Ses proches affirmèrent ensuite qu'il était ressuscité.

3 Jésus et son enseignement

Histoire (parabole) racontée par Jésus. Un homme descendait de Jérusalem à Jéricho, et il tomba au milieu de brigands qui, après l'avoir dévêtu et couvert de plaies, s'en allèrent, le laissant à demi mort.

Par hasard, un prêtre descendait par ce chemin et, le voyant, il passa outre.

De la même façon, un Lévite★, survenant en ce lieu et le voyant, passa outre.

Mais un Samaritain★ qui était en voyage, arrivé près de lui et, le voyant, fut pris de pitié. Et s'avançant, il banda ses blessures, y versant de l'huile et du vin ; puis l'ayant fait monter sur sa bête, il l'amena dans un hôtel et prit soin de lui.

Le lendemain, tirant deux deniers, il les donna à l'hôtelier et dit : "Prends soin de lui, et tout ce que tu dépenseras en plus, c'est moi qui, lors de mon retour, te le rembourserai."

Jésus ajouta : « Faites de même. »

D'après la Bible, Évangile de Luc, 1er siècle

★ Les Lévites et les Samaritains étaient des Juifs habitant des régions différentes.

▷ Raconte cette histoire avec tes propres mots.

▷ Dans cette histoire, quel homme agit dans un esprit de fraternité ?

▷ Quel message Jésus cherche-t-il à transmettre ?

4 L'essor du christianisme

Saint Paul dans la synagogue de Damas en Syrie, mosaïque, XIIe siècle, Italie

▷ Décris cette mosaïque : le lieu, les personnes et ce qu'elles font…

▷ Pourquoi a-t-on représenté saint Paul avec une auréole de lumière autour de la tête ? avec une main levée ? (Aide-toi de la légende de la miniature p. 58.)

L'essor du christianisme

Les proches de Jésus puis d'autres personnes ont diffusé son message au Proche-Orient puis dans tous les territoires dominés par Rome. Parmi eux, Paul de Tarse (saint Paul) répandit la nouvelle religion et prôna le rassemblement des chrétiens dans une communauté de vie : l'Église chrétienne (doc. 4).

LEXIQUE

- **crucifier** : faire mourir quelqu'un sur une croix.
- **une Église** : un ensemble de chrétiens ayant les mêmes croyances.
- **monothéiste** : qui croit en un seul dieu.
- **polythéiste** : qui croit en plusieurs dieux.
- **ressuscité** : redevenu vivant après la mort.

22 La christianisation de la Gaule

↓ 1 **Le christianisme en Gaule** Saint Martin de Tours et le mendiant, fresque, Espagne, XIᵉ siècle

Texte d'un évêque. Un jour où Martin n'avait sur lui que ses armes et son manteau de soldat, au milieu d'un hiver plus rigoureux que de coutume, à tel point que bien des gens mouraient de froid, il rencontre à la porte de la cité d'Amiens un pauvre sans habit : ce misérable avait beau supplier les passants d'avoir pitié de sa misère, tous passaient leur chemin. Martin, rempli de Dieu, comprit qu'il devait faire quelque chose, puisque les autres ne lui accordaient aucune pitié. Mais que faire ? Il n'avait rien que son manteau : il avait en effet déjà donné tout le reste. Aussi, saisissant l'arme qu'il portait à la ceinture, il partage son manteau en deux, en donne un morceau au pauvre et se rhabille avec le reste. Quelques personnes voyant cela se mirent à rire, car il avait piètre allure avec son habit coupé. Mais beaucoup regrettèrent profondément de n'avoir rien fait de tel, alors que justement, plus riches que lui, ils auraient pu habiller le pauvre sans se réduire eux-mêmes à la nudité.

Sulpice Sévère, *Vie de saint Martin*, VIᵉ siècle

▷ Raconte cette histoire avec tes propres mots.

▷ Quel passage montre que Martin était chrétien ? qu'il appliquait le message de fraternité enseigné par Jésus ?

▷ Quel passage de cette histoire est représenté sur cette fresque ?

Le christianisme en Gaule

Le christianisme se répandit en Gaule à partir du IIᵉ siècle et surtout du IIIᵉ siècle, sous l'action d'hommes comme saint Martin (doc. 1). Il atteignit d'abord les villes (notamment Lyon), dans lesquelles les gens du peuple puis le reste de la population se convertirent. À la fin du IIIᵉ siècle, la majorité de la population de la Gaule était chrétienne (chronologie C).

L'Église chrétienne

En Gaule comme ailleurs, les chrétiens se rassemblaient régulièrement pour prier. Pour marquer leur entrée dans l'Église, les nouveaux convertis participaient à la cérémonie du baptême (doc. 2). La communauté chrétienne s'organisa petit à petit dans tous les territoires romains : les chrétiens formaient des petits groupes, dirigés par des évêques et des prêtres.

2 L'Église chrétienne

Baptistère à Fréjus (Var), Vᵉ siècle

En signe de purification, les personnes qui désiraient devenir chrétiennes s'immergeaient dans ce bassin rempli d'eau : c'est la cérémonie du baptême.

▷ Décris ce baptistère : sa forme, sa couleur, son état…
▷ Sais-tu quelles sont les étapes d'un baptême chrétien ?

3 Les persécutions

Lettre. Les lieux publics nous étaient interdits et, de façon générale, il nous était défendu de nous montrer en public. Les chrétiens supportèrent noblement tous les outrages que la foule leur infligeait : cris, coups, arrestations, pillages… Ils furent amenés sur la place publique. Interrogés devant la foule, ils affirmèrent leur foi. On les enferma dans la prison. Ils eurent à subir des tortures indescriptibles. La fureur du peuple, du gouvernement, des soldats s'exerça avec une violence particulière contre Blandine. Mais il lui suffisait de répéter « Je suis chrétienne, et chez nous, il ne se fait point de mal », et elle reprenait des forces. Maturus, Sanctus, Blandine et Attale furent conduits aux fauves dans l'amphithéâtre pour offrir au peuple un spectacle d'inhumanité. Et toujours on essaya de les faire renier leur foi, mais ils s'y refusaient. Après les fouets, après les fauves, après la chaise de feu, on enferma Blandine dans un filet pour la livrer à un taureau. À plusieurs reprises, elle fut lancée en l'air par l'animal. On finit par l'égorger.

Lettre des chrétiens de Lyon aux chrétiens de Turquie, IIᵉ siècle

▷ Relève dans le texte tout ce que les chrétiens devaient endurer.
▷ Quelle était l'attitude des chrétiens face à ces persécutions ?
▶ À ton avis, pourquoi les Romains voulaient-ils que les chrétiens renoncent à leurs croyances ? (Pense au monothéisme des chrétiens et au culte rendu à l'empereur dans les territoires romains.)

Les persécutions

Monothéistes, les chrétiens refusaient de considérer l'empereur romain comme un dieu. À la fin du Iᵉʳ siècle, les empereurs interdirent donc le christianisme et ordonnèrent la persécution des chrétiens (doc. 3). Mais au IVᵉ siècle, l'empereur Constantin leur accorda la liberté de pratiquer leur religion puis se convertit lui-même : le christianisme devint la religion de l'Empire romain (chronologie C).

LEXIQUE

• **le christianisme** : la religion de ceux qui croient en Jésus (également appelé le Christ).

• **un chrétien** : une personne qui adhère au christianisme.

• **converti** : qui a adopté une religion.

• **des persécutions** : des actions consistant à maltraiter sans relâche quelqu'un.

3 Le Moyen Âge

de 476 à 1492

sommaire

23	**Les grandes migrations et les royaumes « barbares »**	64
24	**Clovis et les Mérovingiens**	66
25	**Charlemagne et les Carolingiens**	68
26	**La société au Moyen Âge**	70
Dossier	Les femmes au Moyen Âge	72
27	**Les paysans au Moyen Âge**	74
28	**Les seigneurs et leurs châteaux**	76
Dossier	Le château de Bonaguil	78
29	**Les chevaliers**	80
30	**L'influence de l'Église au Moyen Âge**	82
31	**Les églises et les cathédrales**	84
32	**Les abbayes et les monastères**	86
33	**Les villes, espaces de liberté**	88
Dossier	La cité de Carcassonne	90
34	**La naissance de l'islam au VIIᵉ siècle**	92
35	**L'Empire arabe VIIᵉ-VIIIᵉ siècle**	94
Dossier	La mosquée de Kairouan	96
36	**Affrontements et échanges autour de la Méditerranée**	98
37	**La restauration du pouvoir royal en France**	100
38	**La guerre de Cent Ans**	102
39	**Les progrès au Moyen Âge**	104

Le château de Saumur, *Les Très Riches Heures du duc de Berry* : septembre, 1412-1416

23 Les grandes migrations et les royaumes « barbares »

↑ 1 Les grandes migrations Un « Barbare », mosaïque, Carthage (Tunisie), VIe siècle

▷ Décris cette mosaïque et le guerrier barbare qu'elle représente.
▶ À ton avis, qu'est-ce qui attirait les « Barbares » dans la Gaule romaine ?
▶ Cherche dans un dictionnaire la signification actuelle du mot « barbare » : a-t-il le même sens qu'autrefois ?

Les grandes migrations

À partir du IVe siècle, des peuples venus de l'Est, que les Romains appelaient « Barbares », commencèrent à s'installer en Gaule (doc. 1). Au Ve siècle, les Huns venus d'Asie envahirent l'Europe. Pour leur échapper, les « Barbares » fuirent vers l'ouest. Ils entrèrent massivement en Gaule, ravagèrent le pays et massacrèrent des milliers d'habitants (doc. 2 et carte 6). Ce fut la fin de l'Antiquité et le début d'une nouvelle période : le Moyen Âge (chronologie D).

Les royaumes « barbares »

Débordée et envahie par les « Barbares », Rome ne parvint pas à maintenir son emprise sur les territoires qu'elle dominait. Au Ve siècle, Rome perdit sa puissance et l'Europe se trouva partagée entre les peuples « barbares » et les royaumes qu'ils avaient créés, comme le royaume des Francs (ancêtre de la France), le royaume des Allamans (ancêtre de l'Allemagne), le royaume des Bretons (ancêtre de la Bretagne)… (doc. 3)

2 Les grandes migrations : l'invasion des Huns

Témoignage d'un historien grec. Le bruit s'est répandu de la soudaine apparition d'hommes inconnus, étranges, qui tantôt s'abattent comme l'ouragan du sommet des montagnes, tantôt semblent sortir de terre, et toujours anéantissent tout sur leur passage : les Huns. Les Barbares cherchent à s'installer hors de leur portée. Nos barrières s'ouvrent, le sol barbare vomit, comme un volcan, ses enfants sur notre territoire.

D'après Ammien Marcellin (330-400), vers 376

▷ À quoi l'auteur compare-t-il les Huns ?

▷ À quoi compare-t-il la migration des « Barbares » ?

▷ Sur la carte 6, situe les Huns : d'où venaient-ils ? Jusqu'où sont-ils allés ?

▷ Sur la chronologie D, trouve à quelle époque cette invasion a eu lieu.

 3 Les royaumes « barbares » : les Bretons

Texte religieux. Un petit nombre de Bretons qui avaient réchappé d'un massacre, abandonna le pays natal pour gagner une terre étrangère. Parmi ceux-ci, il y avait un homme illustre nommé Fracan. Monté sur un navire, il se dirigea vers l'Armorique réputée pour posséder un espace de terre ombragé, calme et à l'abri du fléau. Il traversa la mer avec quelques compagnons et aborda un port appelé Bréhec. Il en parcourut les alentours et, ayant découvert un domaine assez vaste, s'y installa et commença à y vivre avec les siens dans la prospérité.

D'après *La Plus Ancienne Vie de saint Guénolé*, Vᵉ siècle

▷ Comment ces Bretons sont-ils arrivés en Armorique ?

▷ Sur la carte 6, situe l'Armorique.

▶ Cherche comment cette région s'appelle de nos jours.

▷ D'après la carte, d'où les Bretons sont-ils partis ?

▷ Nomme les autres peuples « barbares » et situe-les.

▷ Lesquels se sont installés en Gaule ?

4 Une nouvelle civilisation

Texte de loi. Si quelqu'un vole un chien de berger, l'amende est de 3 sous. Si quelqu'un vole un cochon, l'amende est de 17 sous. Si quelqu'un vole ou tue un esclave, l'amende est de 30 sous. Si quelqu'un coupe l'index de quelqu'un (qui sert à tirer avec un arc), l'amende est de 35 sous. Si quelqu'un arrache à quelqu'un une main, un pied ou un œil, ou lui coupe le nez, l'amende est de 100 sous. Si quelqu'un tue un Franc libre, l'amende est de 200 sous. Si quelqu'un tue un Romain, l'amende est de 100 sous.

D'après la loi du peuple franc, Vᵉ siècle

▷ Quelles amendes sont les moins sévères ?

▷ Compare les amendes pour meurtre : quels habitants étaient les moins considérés ? Lesquels étaient les mieux considérés ?

▶ Qu'est-ce que ce texte nous apprend sur le mode de vie des Francs (cherche des indices) ?

Une nouvelle civilisation

En Gaule, dans un premier temps, les Gallo-Romains et les Francs ont cohabité. Chaque peuple a conservé ses coutumes et respectait ses propres lois (doc. 4).

Puis les coutumes se sont mêlées pour former une nouvelle civilisation. Le latin, la langue des Francs et le parler des autres peuples installés en Gaule se sont fondus pour former les dialectes régionaux, dont le français est issu.

L E X I Q U E

● **les Barbares** : pour les Romains, les peuples qui vivaient en dehors des territoires qu'ils contrôlaient.

● **une civilisation** : l'ensemble des façons de vivre, de penser, de s'organiser propres à un peuple.

● **une invasion** : l'arrivée d'un groupe armé qui envahit une région.

● **une migration** : le déplacement d'une population vers une nouvelle région.

● **piller** : dépouiller un lieu en le saccageant.

24 Clovis et les Mérovingiens
481-751

↑ 1 Les Francs en Gaule

Casque doré, francisque (hache) en pierre, IXe siècle

Plus efficaces que les armes romaines dans le combat au corps à corps, les armes des guerriers francs leur ont permis de vaincre les Romains.

▷ Décris ces armes et compare-les à celles du guerrier gaulois p. 43 : leur forme, les matériaux qui les composent, les détails, leur usage…

▷ Décris ce guerrier franc et compare-le au guerrier gaulois p. 43 puis au soldat romain p. 46.

▷ Quels éléments de cette reconstitution ont, en l'absence de vestiges, été imaginés par le dessinateur ?

▷ Sur la carte 8, situe le Royaume franc en 481 puis en 511.

Les Francs en Gaule

À la fin du Ve siècle, les Francs occupaient le nord de la Gaule. Ils étaient considérés comme des guerriers redoutables (doc. 1). Mais leurs divisions en tribus les affaiblissaient. En 481, un chef de tribu, Clovis, imposa son autorité aux autres chefs francs. Sous sa conduite, les Francs conquirent la Gaule et firent de Paris leur capitale (carte 8). Ensemble, ils repoussèrent les autres peuples « barbares » et Clovis devint le premier roi des Francs (chronologie E).

Clovis et la conversion des Francs

Contrairement à d'autres peuples « barbares », les Francs n'étaient pas chrétiens. Vers 496, Clovis et ses principaux compagnons d'armes se convertirent et se firent baptiser (doc. 2). Clovis puis ses successeurs encouragèrent la fondation de monastères, ce qui fit encore progresser, dans le Royaume franc, le christianisme, déjà bien implanté en Gaule. Cette conversion des Francs leur assura le soutien des évêques.

Clotilde, la femme de Clovis, **Clovis,** **Saint Rémi,** **un autre**
déjà chrétienne **dans le baptistère** **l'évêque de Reims** **évêque**

▷ Décris ce baptême. À quoi reconnaît-on Clovis ? À quoi reconnaît-on les évêques ?

▶ À ton avis, de qui Clovis a-t-il obtenu le soutien en se faisant baptiser ?

▷ Sur la carte 8, situe la ville de Reims dans laquelle Clovis s'est fait baptiser.

▷ Sur la chronologie E, trouve l'année de ce baptême.

▶ Ce document est-il une source de l'histoire ou une reconstitution ?
Justifie ta réponse.

Récit d'un historien franc. Le roi devait se contenter de son titre, de siéger sur son trône, la chevelure et la barbe pendantes, de transmettre les ordres qu'on lui avait dictés. Il ne possédait qu'un très petit domaine, avec une maison et quelques serviteurs, peu nombreux. Quand il se déplaçait, il montait dans une voiture attelée à des bœufs. Toutes les décisions étaient prises par le maire du palais.

D'après Eginhard, IXe siècle

▷ Lis ce texte et explique-le avec tes propres mots.

▷ D'après ce texte, les Mérovingiens étaient-ils riches ?

▷ Avaient-ils du pouvoir ?

▶ Pourquoi les surnomme-t-on les « rois fainéants » ?

▷ Sur la chronologie E, trouve jusqu'à quelle époque les Mérovingiens ont régné.

Les Mérovingiens

À la mort de Clovis en 511, ses descendants, les Mérovingiens, se partagèrent le Royaume franc et s'affrontèrent dans des guerres incessantes. Les Mérovingiens s'appauvrirent en distribuant leurs terres et perdirent tout pouvoir au profit du maire du palais. Au VIIe siècle, les Mérovingiens n'avaient plus aucune autorité et ne faisaient rien : on les appelait les « rois fainéants » (doc. 3 et chronologie E).

25 Charlemagne et les Carolingiens
751-841

⬇ 1 Charlemagne

Texte officiel de l'Église de Rome. Tous se réunirent dans la basilique à l'occasion de la fête de Noël, le 25 décembre. Le pape couronna de ses propres mains le roi en lui posant une couronne. Alors la foule massée dans l'église Saint-Pierre de Rome s'exclama : « À Charles très pieux, couronné par Dieu, grand et pacifique empereur, vie et victoire ! » Cette acclamation se fit entendre trois fois. Immédiatement après, le pape mit de l'huile sainte sur le front de Charles.

D'après le Livre pontifical, 800

▷ Résume cette histoire.

▷ Quels éléments du texte te permettent de savoir quelle était la religion de Charlemagne ?

▷ Sur la chronologie E, trouve en quelle année Charlemagne a été sacré empereur.

▷ Compare l'empire de Charlemagne (carte 9) au royaume des Francs sous Clovis : était-il plus étendu ou moins étendu ?

⬇ 2 L'Empire carolingien

Charlemagne et le comte Roland, son neveu, enluminure, XIVe siècle

▷ Décris cette scène.

▷ À quoi reconnais-tu Charlemagne ?

▷ Il remet le commandement de l'armée à Roland : quel objet représente ce commandement ?

▷ À ton avis, pourquoi Roland se tient-il à genoux ?

▷ Roland était le neveu de Charlemagne : selon toi, pourquoi Charlemagne l'a-t-il choisi pour assumer cette responsabilité ?

Pépin le Bref puis Charlemagne

En 751, le maire du palais, Pépin le Bref, prit le pouvoir et se fit sacrer roi (chronologie E). Il entreprit de restaurer l'autorité royale sur le pays. En 768, son fils Charlemagne lui succéda. Il agrandit le royaume en conquérant de nouveaux territoires dans toute l'Europe occidentale (carte 9). L'expansion du royaume des Francs permit au christianisme de s'étendre encore en Europe. En signe de reconnaissance, le pape sacra Charlemagne empereur en 800 (doc. 1).

L'Empire carolingien

Charlemagne contrôlait étroitement son empire. Il confia l'armée, la justice et le trésor à ses proches (doc. 2). Il choisit des comtes fidèles pour diriger les différentes régions. Il chargea des envoyés de parcourir le pays et de veiller à ce que les comtes respectent son autorité. Il fit construire des monastères, encouragea les moines à ouvrir des écoles et facilita la diffusion des textes religieux. De ce fait, le christianisme se propagea encore davantage dans le pays.

3 Le déclin de l'Empire : le partage

Récit d'un témoin de la scène.

Au milieu du mois de juin 843, un jeudi, Lothaire, Louis et Charles, petits-fils de Charlemagne, se réunirent, accompagnés chacun d'un nombre égal de nobles ; ils se jurèrent mutuellement de diviser aussi également que possible l'Empire et de conserver la paix entre eux à partir de ce jour.

D'après Nithard, IXᵉ siècle

▷ Qu'est-ce que les petits-fils de Charlemagne ont fait de l'Empire carolingien ?

▷ Quels mots montrent que ce partage s'est fait d'un commun accord ?

▷ D'après la carte 9, comment s'appelaient les trois royaumes ainsi constitués ?

▶ Lequel correspond à la France actuelle ? à l'Allemagne ?

▷ D'après la chronologie G, jusqu'en quelle année les Carolingiens ont-ils régné en France ?

4 Le déclin de l'Empire : les invasions

Les invasions normandes, tapisserie de Bayeux, XIᵉ siècle

À partir du VIIIᵉ siècle, les Normands ou Vikings, venus du nord de l'Europe, ont longé les côtes françaises et remonté le cours des fleuves, pillé de nombreuses villes et provoqué la panique chez les habitants.

| La tête de dragon impressionnait les ennemis. | La rame de côté servait à diriger le bateau | Le bateau avançait grâce à sa voile et à 32 rameurs. | Long de 25 m, le bateau transportait des hommes et des chevaux et parcourait jusqu'à 200 km par jour. |

▷ Décris ces guerriers normands et leur navire.

▷ Sur la carte 9, trouve quel autre peuple a attaqué l'Empire carolingien. D'où venait-il ?

▶ À ton avis, ces attaques ont-elles renforcé ou affaibli le pouvoir des Carolingiens ?

Le déclin de l'Empire

Après la mort de Charlemagne, ses descendants se disputèrent le pouvoir. En 843, ses petits-fils divisèrent l'Empire en trois royaumes (carte 9). Affaiblis, les Carolingiens ne parvinrent pas à protéger leurs royaumes des invasions (les Arabes, les Normands), des guerres et des pillages (doc. 4). Les comtes créèrent alors leurs propres armées pour défendre leurs terres et ceux qui y vivaient. Peu à peu, les habitants ne reconnurent plus que leur autorité et les rois perdirent toute influence.

LEXIQUE

● **les Carolingiens** : Charlemagne et ses descendants (de *Carolus*, Charles).

● **un comte** : une personne de l'entourage de Charlemagne, qui lui a juré fidélité et a reçu la responsabilité d'une région de l'Empire.

● **un empire** : un ensemble de territoires dominés par un autre pays.

● **le pape** : l'évêque de Rome qui est aussi le chef suprême de l'Église.

● **sacrer** : confirmer le pouvoir d'un roi ou d'un empereur par une cérémonie religieuse.

26 La société au Moyen Âge

Les trois ordres

Sous le règne des Carolingiens, la société française s'est organisée en trois groupes appelés les trois « ordres » (doc. 1) :
– ceux qui travaillaient (les plus nombreux, les paysans, mais aussi les artisans et les marchands),
– ceux qui combattaient (seigneurs et chevaliers),
– ceux qui priaient (prêtres et moines).
Certains seigneurs et une partie des membres du clergé vivaient dans le luxe, tandis que la majorité du peuple travaillait durement et vivait pauvrement. Les riches seigneurs imposaient leur volonté sur les terres qui leur appartenaient. L'Église imposait ses règles à l'ensemble de la population et affirmait que cette organisation de la société était la volonté de Dieu. La société était donc très inégalitaire.

Qu'ils soient paysans, seigneurs ou membres du clergé, la plupart des habitants de la France habitaient dans les campagnes : les villes étaient peu nombreuses et peu peuplées.

1 Les trois ordres Enluminure

La maison de Dieu est en trois parties : les uns prient, les autres combattent, les autres enfin travaillent. Ces trois groupes forment un seul tout et ne peuvent être séparés. Ce qui fait leur force, c'est que ceux qui travaillent le font pour les deux autres ordres ; à leur tour, ceux-ci prient ou combattent pour eux. Ainsi, tous trois se soulagent les uns les autres.

D'après Adalberon, archevêque de Reims, vers 1027

▷ Quelles sont les trois parties de la société ?

▷ À ton avis, à quelle partie appartiennent : les paysans ? les seigneurs ? les prêtres ? les moines ? les chevaliers ? (Aide-toi du lexique.)

▷ Qu'est-ce que chaque ordre était censé apporter aux deux autres ?

▷ Cette répartition des tâches te paraît-elle équitable ?

▷ D'après cet auteur, quel argument justifie cette division de la société ? (Aide-toi de la première phrase.)

▷ Sur l'enluminure ci-contre, retrouve au moins un membre de chaque ordre de la société et dis ce qui le caractérise.

2 La famille Enluminure, XIIIᵉ siècle

▷ Combien cette famille compte-t-elle d'enfants ?

▷ Sont-ils encore jeunes ou pas ?

▷ Comment la mère porte-t-elle le plus jeune ?

▷ Comment le père porte-t-il les deux autres enfants ?

▷ À ton avis, dans cette famille, qui s'occupe des enfants ? Justifie ta réponse.

▷ Que font les deux plus grands ?

La famille

Les habitants de la France vivaient non plus en grande famille élargie, avec les grands-parents, mais en couple avec leurs nombreux enfants (doc. 2). Les hommes, les femmes et les enfants les plus âgés se partageaient les tâches : les travaux des champs, la cuisine, le soin des plus jeunes. Les femmes et les enfants étaient soumis à l'autorité du père de famille. Dans la noblesse, les femmes étaient considérées comme des êtres inférieurs (pp. 72-73).

LEXIQUE

● **un chevalier** : un guerrier qui combat à cheval.

● **le clergé** : l'ensemble des personnes qui consacrent leur vie au culte.

● **un moine** : un homme qui consacre sa vie à la prière.

● **un ordre** : l'une des trois parties de la société, du Moyen Âge au XVIIIᵉ siècle.

● **un seigneur** : au Moyen Âge, une personne qui détient des pouvoirs sur un domaine.

Les femmes au Moyen Âge

L'histoire s'est longtemps intéressée à la vie quotidienne des hommes.
Depuis quelques années, des historiens travaillent sur celle des femmes.

1 Les femmes du peuple Le boulanger, la boulangère, enluminure, XVe siècle

Comme les hommes, la plupart des femmes appartenaient à l'ordre de « ceux qui travaillent ». Qu'elles soient paysannes, femmes d'artisans ou de commerçants, elles travaillaient avec leur mari aux champs ou à la boutique. Elles partageaient avec lui les tâches ménagères (ménage, cuisine, courses…).

▷ Décris ce couple de boulangers et leur boutique, et trouve un détail qui indique que cet artisan n'était pas pauvre. Décris également les deux clients qui arrivent.

▷ Quelle est l'attitude de la femme ? Qu'est-ce que cela indique sur sa position dans la famille ?

2 Les femmes de la noblesse et du clergé Enluminure, XVe siècle

Les femmes de la noblesse étaient soit mariées très jeunes par leur père, sans pouvoir choisir leur époux, soit envoyées au couvent pour y devenir religieuses.
Les épouses dirigeaient la maison et les serviteurs. En l'absence de leur mari (notamment quand celui-ci partait à la guerre), elles s'occupaient de tout.
Les religieuses, quant à elles, menaient une vie rude, partagée entre la prière et le travail.

▷ Décris cette scène : ces femmes, leur habillement, leurs coiffes, ce qu'elles font, la pièce dans laquelle elles se trouvent…

▷ Observe les femmes du clergé p. 83 : leur habillement, leurs coiffes, ce qu'elles font, le lieu dans lequel elles travaillent.

→ 3 L'éducation des enfants

Enluminure, XIVᵉ siècle

Les deux parents s'occupaient
de leurs enfants. Chez les paysans,
le père comme la mère prenait soin
des bébés. Chez les nobles,
le père apprenait l'usage des armes
à ses fils et la mère enseignait,
aux garçons comme aux filles,
les bonnes manières et le respect
des règles imposées par l'Église.

▷ Décris cette scène.
D'après leur habillement,
ces personnes sont-elles
des paysans ou des nobles ?

▷ Quel geste symbolique le père
fait-il ? Quel geste symbolique
la mère fait-elle ?

▷ Qui semble le chef de cette famille ?

↓ 4 Les femmes et le savoir Marie de France, enluminure, XIIIᵉ siècle

Les femmes étaient considérées comme des êtres inférieurs. Pourtant, elles étaient généralement
plus instruites que les hommes : dans les familles d'artisans et de commerçants,
elles tenaient les comptes et apprenaient à lire et écrire à leurs enfants.
Certaines reines, des écrivaines et des poétesses étaient même très considérées à leur époque.

▷ Décris Marie de France :
que fait-elle ?

LEXIQUE

● **un couvent** : un monastère
pour les femmes.

● **instruit** : qui a de nombreuses
connaissances.

● **la noblesse** : les personnes
dont la famille est considérée
comme supérieure dans la
société.

● **une religieuse** : une femme qui
consacre sa vie à la prière.

27 Les paysans au Moyen Âge

page 62 ↓ **1 Les cultures** Enluminure, XIIIe siècle

▷ Décris ces paysans et leurs activités.

▶ À ton avis, leurs outils permettaient-ils d'avoir de bons rendements ?

▷ Décris également les paysans et les paysannes p. 62, ainsi que leurs activités.

▶ Qu'est-ce que ces illustrations t'apprennent sur l'alimentation des paysans durant le Moyen Âge ?

De lourdes charges

Durant le Moyen Âge, la population était en majorité constituée de paysans. Toutes les terres appartenaient aux seigneurs. Pour en cultiver une parcelle, les paysans devaient payer une redevance ou donner une partie de leur récolte au seigneur qui en était propriétaire, et effectuer des corvées sur ses terres (doc. 2). Les paysans payaient aussi des taxes pour utiliser les équipements du domaine : le moulin pour moudre le grain, le four pour cuire le pain et le pressoir pour faire le vin. Ils versaient un impôt à l'Église : la dîme.

Les cultures

Les paysans cultivaient surtout des céréales, quelques-uns entretenaient aussi de la vigne (doc. 1). Les plus aisés élevaient quelques animaux : des moutons pour la laine et la viande, des porcs et des volailles… Les agriculteurs utilisaient des outils rudimentaires : des haches pour défricher, des houes pour retourner le sol, des faucilles pour moissonner. Pour ne pas épuiser les sols, ils devaient laisser leurs champs au repos une année sur deux. De ce fait, les productions étaient peu abondantes.

⬇ 2 De lourdes charges

Poème. Les paysans doivent faucher les foins. En août, ils font la moisson du blé. Ils ne peuvent prendre leur récolte qu'après que le seigneur a pris sa part. En septembre, ils doivent donner un porc sur huit. En octobre, ils paient l'impôt. Au début de l'hiver, ils doivent la corvée. À Pâques, le paysan doit donner des moutons et faire une nouvelle corvée de labour. Il doit couper les arbres. Quand il va au moulin ou au four, il doit payer encore.

D'après *La Complainte des vilains de Versons*, Moyen Âge

▷ Énumère les charges des paysans.

▶ En quoi ces charges sont-elles lourdes ?

▶ Cherche dans un dictionnaire ce qu'étaient les serfs : en quoi étaient-ils traités comme des esclaves ?

→ 3 Une vie rude

La révolte des paysans, enluminure, XVe siècle

▷ Raconte cette révolte et imagine ce qui a pu pousser ces paysans à attaquer ce chevalier.

Une vie rude

Les paysans du Moyen Âge menaient une vie rude. Ils produisaient peu et parvenaient difficilement à payer les charges réclamées par leur seigneur et par l'Église. La plupart habitaient dans de petites maisons, avec une seule pièce qui abritait aussi les animaux. Ils se nourrissaient de bouillie de céréales et de ce qu'ils rapportaient de la chasse (gibier) ou de la cueillette (fruits sauvages). Les famines étaient rares mais terribles. Quand leur situation devenait trop difficile, les paysans se révoltaient parfois contre leur seigneur (doc. 3).

LEXIQUE

● **une corvée** : un travail gratuit effectué par les paysans sur les terres du seigneur.

● **une famine** : un manque total de nourriture, provoquant la mort des populations.

● **une redevance** : une somme d'argent à payer en échange d'un bien ou d'un service.

● **une taxe** : une somme d'argent à payer quand on utilise ou achète quelque chose.

28 Les seigneurs et leurs châteaux

⬇ 1 La féodalité

Témoignage d'un écrivain flamand. Le comte demanda au seigneur s'il voulait devenir son vassal. Celui-ci répondit :

« Je le veux. »

Ses mains étant jointes dans celles du comte, ils s'allièrent par un baiser. Puis le seigneur dit :

« Je promets en ma foi d'être fidèle à partir de cet instant au comte Guillaume et de lui garder contre tous et entièrement mon hommage, de bonne foi et sans tromperie. »

Il jura cela sur la relique des saints. Ensuite, le comte en fit son vassal.

D'après Galbert de Bruges, XIIᵉ siècle

▷ Qui participe à cette cérémonie ?

▷ Qui est le suzerain ? Comment s'appelle-t-il ?

▷ Qui est le vassal ?

▷ Quelles sont les étapes de cette cérémonie ?

▶ Quelle étape et quels mots mettent en valeur le rôle de la religion ?

▷ Quels mots le vassal utilise-t-il pour jurer fidélité au comte ?

▷ Quels gestes montrent leurs intentions ?

⬇ 2 Le pouvoir des seigneurs Enluminure, XVᵉ siècle

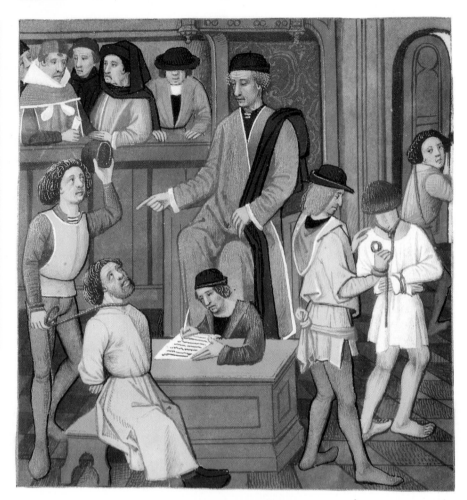

Le seigneur rendait la justice dans son domaine ou, comme ici, confiait cette tâche à un juge qu'il choisissait.

▷ Décris cette séance au tribunal du seigneur.

▷ Que penses-tu du traitement fait aux accusés ?

La féodalité

Pour contrôler leur domaine, les comtes avaient recours à des seigneurs : ils leur confiaient un territoire ; en contrepartie, les seigneurs prêtaient un serment de fidélité au comte (**doc. 1**). La société du Moyen Âge reposait sur ce lien qui unissait les suzerains et leurs vassaux : les comtes avaient des vassaux qui, eux-mêmes, avaient d'autres vassaux. Ainsi, tous les nobles étaient liés entre eux. Cette organisation s'appelait la « féodalité ».

Les châteaux forts

Les seigneurs consacraient leur vie à la guerre. Pour protéger leurs familles, leurs biens et les populations de leur domaine, ils firent construire des châteaux forts : d'abord de simples maisons fortifiées, puis des châteaux de plus en plus vastes et solides, avec une tour (le donjon) et entourés de hauts remparts. Les seigneurs y vivaient et les populations habitant sur leurs terres pouvaient s'y réfugier en cas d'attaque (**doc. 3 et pp. 78-79**).

⬆ **3** **Les châteaux forts** Enluminure, IXᵉ siècle

▷ Décris cette attaque. Où les personnes attaquées se sont-elles réfugiées ? Par quoi sont-elles protégées ?

▶ Qui pouvait protéger les habitants des régions quand les armées du roi étaient trop éloignées ?

▶ As-tu déjà vu ou visité un château du Moyen Âge ? Comment s'appelait-il ? Où se trouvait-il ? Comment était-il ?

Le pouvoir des seigneurs

En échange de leur protection, les seigneurs imposèrent leur autorité aux populations qui vivaient sur leurs terres. Ils collectaient les impôts pour leur propre compte et exigeaient des paysans qu'ils leur donnent une partie de leur récolte et qu'ils cultivent pour eux une partie réservée du domaine… Ils établissaient les règles que les populations devaient respecter et rendaient la justice (doc. 2).

LEXIQUE

● **la féodalité** : au Moyen Âge, l'organisation de la société qui lie les nobles entre vassaux et suzerains.

● **un seigneur** : au Moyen Âge, une personne qui détient des pouvoirs sur un domaine.

● **un suzerain** : un seigneur qui confie un domaine à un autre seigneur.

● **un vassal** (des vassaux) : un seigneur qui reçoit un fief d'un autre seigneur (son suzerain) et lui jure fidélité.

Le château de Bonaguil

Le château fort de Bonaguil a été construit au XIIIe siècle, dans le sud de la France, puis restauré et renforcé au XVe siècle pour devenir une forteresse imprenable.

Le château possède cinq tours d'où les guetteurs pouvaient surveiller les environs et annoncer l'arrivée éventuelle des troupes ennemies.

Le château et protégé par un mur de 4 m d'épaisseur, culminant à 40 m de hauteur. Si des ennemis parvenaient à le franchir, ils devaient encore attaquer le château lui-même pendant que ses défenseurs les criblaient de flèches.

▷ Décris ce château fort : ses différentes parties, son allure, son état...

▷ Certaines parties ont disparu : les ponts-levis, les toitures au-dessus des tours... À ton avis, pourquoi ?

▷ Décris le château fort p. 62. Comment sont les toitures au-dessus des tours.

▷ Fais des recherches pour savoir comment fonctionne un pont-levis.

▷ Quelles sont les différentes techniques utilisées pour compliquer l'assaut des ennemis.

▷ Sur la carte 7, situe Bonaguil. Nomme et situe d'autres châteaux dont il reste des vestiges en France. Lequel est le plus proche de chez toi ?

Haut de 30 mètres, le donjon surplombe le paysage. Il rappelait aux paysans la puissance du seigneur et permettait aux soldats de guetter alentour. Il abritait le logis du seigneur : une vingtaine de pièces, dont une salle de fêtes. Le donjon servait de dernier refuge, en cas d'attaque.

Les portes du château étaient fermées par des ponts-levis, que l'on abaissait pour passer et que l'on relevait en cas d'attaque. Les accès étaient limités par d'étroits couloirs tortueux, qui rendaient impossible l'utilisation d'un « bélier » ou d'un canon.

Pour rendre les assauts difficiles et dissuader les ennemis d'attaquer, le château fort a été construit sur une hauteur.

29 Les chevaliers

⬇ 1 Les combats Enluminure, XIVᵉ siècle

une armure en métal couvrant le corps   une épée   un écu (bouclier)   un heaume (casque)

▷ Décris cette scène : les chevaliers, le combat, l'atmosphère…

⬇ 2 Les règles de la chevalerie : l'Église

Textes écrits par des évêques.

Que ni homme ni femme n'en attaque, en quelque lieu, un autre, ni n'attaque un château, un bourg ou un village, du mercredi au coucher du soleil jusqu'au lundi à l'aurore. Si quelqu'un ne respecte pas cette trêve, qu'il soit exclu de l'Église.

D'après l'évêque de Thérouanne, 1063

Je n'envahirai pas les églises. Je n'attaquerai pas les clercs et les moines ne portant pas les armes. Je n'arrêterai ni le paysan, ni la paysanne, ni les marchands.

D'après un serment imposé par l'évêque de Beauvais, 1023

▷ Quelles limites l'Église a-t-elle imposées aux chevaliers ?

Les combats et les tournois

À partir du Xᵉ siècle, des chevaliers ont proposé leurs services aux seigneurs pour les aider à défendre leur domaine contre les autres seigneurs et à imposer leur autorité aux paysans qui y vivaient. Ces chevaliers combattaient à cheval, avec une lourde armure pour se protéger et une épée (doc. 1). Quand ils défendaient le château de leur seigneur ou attaquaient un autre château, ils utilisaient aussi des machines de guerre capables de lancer des pierres.

En dehors des périodes de combats, les chevaliers s'affrontaient pacifiquement dans des tournois, qui leur permettaient de s'entraîner et de prouver leur courage (doc. 3).

Les règles de la chevalerie

L'Église est intervenue pour limiter les violences commises par les chevaliers. Elle a fixé des règles comme l'interdiction d'attaquer les bâtiments religieux et celui de combattre certains jours (doc. 2). C'était aussi pour elle une façon d'imposer son

→ 3 Les tournois

Enluminure, XIVe siècle

▷ Décris ce tournoi.

▷ Quelle arme servait pour le tournoi ?

▷ Que cherchaient-ils à faire à leur adversaire ?

▶ À ton avis, pourquoi les chevaliers n'utilisaient-ils pas cette arme pour faire la guerre ?

→ 4 Les règles de la chevalerie

Adoubement d'un chevalier, enluminure, XIVe siècle

▷ Quelles parties de son équipement remet-on à ce nouveau chevalier ?

▶ À ton avis, pourquoi lui remet-on des éperons ?

▶ À quoi vois-tu que l'adoubement était une fête ?

autorité. Progressivement, ces guerriers se sont organisés et ont constitué un groupe uni, au service d'un idéal : bravoure, fidélité à leur seigneur, secours aux plus faibles, camaraderie et entraide entre chevaliers.

La chevalerie était marquée par des rites. Par exemple, pour devenir chevaliers, les fils des seigneurs suivaient un long apprentissage et un entraînement militaire. Quand ils atteignaient l'âge adulte, ils étaient nommés chevaliers lors d'une grande cérémonie : l'adoubement, au cours de laquelle ils recevaient leur équipement (doc. 4).

LEXIQUE

● **un adoubement** : la cérémonie au cours de laquelle un homme est nommé chevalier.

● **la chevalerie** : l'ensemble des chevaliers.

● **un rite** : une habitude (souvent une cérémonie) propre à un groupe de personnes.

● **un tournoi** : un combat au cours duquel des chevaliers s'affrontent pour s'entraîner mais aussi pour le plaisir de ceux qui regardent.

30 L'influence de l'Église au Moyen Âge

↑ **1 L'importance de la religion** Un mariage chrétien, enluminure, XIIIᵉ siècle

Au Moyen Âge, l'Église intervint progressivement dans tous les moments importants de la vie : la naissance, le mariage, les fêtes, les relations entre les seigneurs et leurs vassaux...

▷ Décris cette scène : le prêtre, l'autel devant lui, les mariés, ceux qui les entourent...

L'importance de la religion

Au Moyen Âge, la quasi-totalité de la population en France était chrétienne. La journée était rythmée par la cloche de l'église et les prières. L'année était ponctuée par les fêtes religieuses (Noël, Pâques...). Les grandes étapes de la vie étaient marquées par des cérémonies religieuses : naissance (baptême), mariage, adoubement, hommage d'un vassal, sacre du roi... (doc. 1)

La place de l'Église

L'Église occupait une place importante dans la société. Elle tenait la plupart des écoles, les hôpitaux dans lesquels les malades étaient soignés et les hospices dans lesquels les pauvres, les mendiants et les voyageurs étaient accueillis (doc. 2). Cette importance lui permettait d'imposer ses règles à tous les membres de la société, dans leurs activités comme dans leur vie de famille.

→ 2 La place de l'Église

Une école, enluminure, XVe siècle

Au Moyen Âge, la plupart des écoles étaient tenues par des membres du clergé.

▷ Décris cette classe : le lieu, le maître, les élèves, le matériel...

▷ Trouve au moins une ressemblance et une différence entre cette classe et la tienne.

→ 3 Les membres du clergé

Un hospice, enluminure, XVe siècle

L'Église tenait les hôpitaux, dans lesquels les malades étaient pris en charge par des moines ou des religieuses.

▷ Décris cet hôpital.

▷ Qui sont les personnes en noir ?

▷ Cet hôpital est-il confortable pour les malades ? Justifie ta réponse.

Les membres du clergé

Le clergé se composait des prêtres et des moines. Les prêtres avaient en charge une église et sa communauté de croyants, tandis que les moines et les religieuses consacraient leur vie à la prière ou au service des pauvres (doc. 3). Certains membres du clergé vivaient simplement. D'autres menaient une vie aisée comparable à celle des grands seigneurs, grâce à leurs domaines et à la dîme.

31 Les églises et les cathédrales

↓ 1 L'art roman

Église romane de Cheylade (Auvergne), XIᵉ siècle
Les églises romanes avaient des murs bas
et épais, soutenus par des piliers disposés sur
les côtés ou dans les angles : les contreforts.
Les églises étaient surmontées d'un clocher.

▷ Décris cette église.

▷ À ton avis, pourquoi y a-t-il peu de fenêtres ?

▷ À quoi le clocher sert-il ?

▷ Connais-tu une église ? Où se trouve-t-elle ?
Ressemble-t-elle à celle-ci ?

▷ Trouve au moins une ressemblance et une différence
entre cette église et la cathédrale p. 85.

**Bas-relief roman, Brice
(Corrèze), XIIᵉ siècle**
Les décors des églises
servaient à relater
l'enseignement de Jésus
mais aussi à effrayer
les croyants pour
les inciter à suivre
les règles dictées
par l'Église.

▷ Explique ce bas-relief,
qui présente un chrétien
au milieu, une balance
qui sert à comparer ce
qu'il a fait de bien et de
mal, le diable et un ange
qui se disputent pour
l'emmener soit en enfer,
soit au paradis.

La multiplication des églises

Au Moyen Âge, la quasi-totalité de la population en
Europe, notamment en France, était chrétienne. Il a
donc fallu construire de nombreuses églises pour
accueillir tous les chrétiens. Les premières églises
étaient de petits bâtiments en bois. Plus tard, on a
construit des églises en pierre, puis des bâtiments
plus vastes, avec un clocher qui dominait la campagne et dont la sonnerie des cloches permettait de
rappeler l'heure de la prière (doc. 1).

L'art roman

À partir de l'an 1000, les évêques ont fait construire
de belles églises, avec des murs épais soutenus par
des contreforts, une voûte en pierre, quelques
fenêtres : elles sont caractéristiques de l'art roman.
L'intérieur était richement décoré de peintures
murales et de sculptures racontant la vie de Jésus
et des saints ou présentant des diables destinés
à effrayer ceux qui ne suivaient pas les règles de
l'Église (doc. 1).

L'entrée est encadrée par deux tours.

La cathédrale est surmontée d'une flèche.

Elle est éclairée par de larges vitraux.

Les hauts murs sont soutenus par des arcs-boutants.

2 L'art gothique

Cathédrale Notre-Dame de Paris, XIIᵉ-XIVᵉ siècle

▷ Décris cette cathédrale : sa forme, sa taille…

▷ Sur la carte 7, nomme et situe les autres grandes cathédrales.

▷ Imagine le temps et le nombre d'ouvriers qu'il a fallu pour construire une telle cathédrale.

Un pèlerin en route pour Saint-Jacques de Compostelle, vitrail, cathédrale d'Évreux, XIVᵉ siècle

▷ Décris ce pèlerin.

▷ Sais-tu comment ce vitrail a été fabriqué ?

L'art gothique

Au XIIᵉ siècle, les progrès techniques permirent de construire des bâtiments plus grands, plus hauts, avec des murs moins épais soutenus par des arcs-boutants et de grandes ouvertures ornées de vitraux laissant entrer la lumière : c'est ce que l'on appelle l'art gothique. Les évêques ordonnèrent alors la construction d'immenses cathédrales pour témoigner de la puissance de l'Église (doc. 2). L'art gothique a duré jusqu'au XVᵉ siècle.

LEXIQUE

- **une cathédrale** : une église dans laquelle les cérémonies sont faites par un évêque.

- **un pèlerinage** : un voyage effectué pour un motif religieux vers un lieu saint.

- **un pèlerin** : une personne qui fait un pèlerinage.

- **une voûte** : plafond en pierre de forme arrondie.

- **un vitrail** (des vitraux) : une décoration de fenêtre faite de morceaux de verre colorés.

32 Les abbayes et les monastères

↓ 1 Une vie simple

Texte d'un abbé. Les moines de l'abbaye de Clairvaux servaient Dieu dans la pauvreté d'esprit, dans la faim et la soif, dans le froid et la nudité, et enfin dans des veilles. Souvent ils n'avaient pour nourriture que des feuilles de hêtre bouillies et du pain d'orge, de vesces et de millet.

D'après Bernard de Clairvaux, dit « saint Bernard », XIIe siècle

▷ Comment les moines de cette abbaye vivaient-ils ?
▶ En quoi était-ce conforme au message de Jésus ?

→ 2 Une vie de labeur

Enluminure, XVe siècle
Les moines recopiaient les livres à la main, sur des parchemins, puis sur du papier à partir du XIe siècle. Ils ornaient les ouvrages d'enluminures.

▷ Décris cette enluminure : le moine, ses vêtements, son matériel, son activité, les objets autour de lui…
▶ Pourquoi les livres étaient-ils rares au Moyen Âge ?

Une vie simple

Au Moyen Âge, nombre d'abbés menaient une vie aisée grâce aux dons faits par les croyants et aux terres appartenant à leur abbaye : ils les faisaient exploiter par des paysans en leur imposant de lourdes charges comme le faisaient les seigneurs sur leur domaine. À partir du XIe siècle, certains moines et certaines religieuses décidèrent de mener une vie simple, selon l'enseignement de Jésus (doc. 1).

Une vie de labeur et de prière

Les moines et les religieuses vivaient en communauté et en retrait du monde. Ils partageaient leur temps entre la prière et le travail. Certains travaillaient la terre et ont entrepris de grands travaux comme des défrichements et l'assèchement de marais, de façon à mettre de nouvelles terres en culture. D'autres recopiaient des manuscrits et les décoraient de magnifiques enluminures (doc. 2).

Certains moines travaillaient de leurs mains, dans cette forge.

D'autres s'occupaient d'accueillir les pèlerins dans la maison des voyageurs.

Au réfectoire, les moines mangeaient en silence.

Le cloître permettait de circuler à l'abri mais aussi de marcher autour du jardin en méditant.

L'église rassemblait les moines plusieurs fois par jour pour la prière.

Le dortoir n'était pas chauffé.

Dans le scriptorium, les moines recopiaient à la main et décoraient les manuscrits.

3 **Une vie de labeur et de prière : l'abbaye** L'abbaye de Fontenay (Côte-d'Or), XIIᵉ siècle

▷ Décris cette abbaye.

▷ Qu'est-ce qu'elle t'apprend sur les activités et la vie quotidienne des moines au Moyen Âge ?

▷ Sur la carte 7, nomme et situe les grandes abbayes du Moyen Âge.

D'autres enfin se consacraient à l'accueil des malades, des mendiants ou des pèlerins (**pèlerin** p. 85). Leur vie était organisée selon des règles strictes et des horaires précis.

Les moines et les religieuses vivaient dans des monastères et des abbayes comportant un ensemble de bâtiments destinés au travail, à la prière et à la vie quotidienne, généralement organisée autour d'un cloître, long couloir couvert permettant de circuler et de méditer (doc. 3).

> **LEXIQUE**
>
> ● **une abbaye** : un monastère, une communauté de religieux dirigée par un abbé.
>
> ● **un abbé** : le responsable d'un monastère.
>
> ● **une enluminure** : un dessin qui orne un manuscrit.
>
> ● **un manuscrit** : un texte écrit à la main.
>
> ● **un parchemin** : une peau de mouton ou de chèvre traitée, sur laquelle on écrit.

33 Les villes, espaces de liberté

Du haut du beffroi, les guetteurs surveillaient les alentours.

Chaque ville comportait au moins une église.

Les entrées étaient gardées.

Quand il n'y avait plus de place, les habitants s'installaient dans les faubourgs.

⬆ 1 Des villes à l'abri du danger La ville de Feurs, enluminure, XVe siècle

▷ Décris cette ville : sa taille, ses bâtiments, ses monuments, ses quartiers…

▷ À ton avis, quels dangers menaçaient les habitants de cette ville ?

▷ Quel élément de cette enluminure montre que la population de cette ville était en augmentation ?

Des villes à l'abri du danger

Les villes du Moyen Âge étaient plus petites que celles d'aujourd'hui. Les rues étaient étroites et sombres, mais animées par les boutiques et les ateliers des artisans. Les villes disposaient généralement d'un hôpital, d'un marché, de fontaines, d'au moins une école et d'une église (une cathédrale pour les grandes villes). Pour se protéger des attaques ennemies, elles étaient entourées de remparts, tandis que des guetteurs surveillaient les alentours du haut du beffroi (la plus haute tour) et sonnaient la cloche en cas de danger (doc. 1).

Des villes dangereuses

La vie dans les villes était pleine de dangers pour les habitants. Ils étaient victimes des voleurs et des brigands qui circulaient la nuit dans les rues sombres (doc. 1). Ils étaient confrontés à de terribles incendies qui détruisaient les maisons, pour la plupart en bois : de ce fait, il était interdit de laisser le feu allumé durant la nuit, après l'heure du couvre-feu. Enfin, chacun jetait ses ordures et ses eaux usagées dehors, si bien que les rues étaient sales : le manque d'hygiène favorisait les épidémies, qui se propageaient rapidement.

▷ Décris ce marché : la ville, les personnes et leur habillement, les marchandises vendues…

▷ Quels avantages les bourgeois de Châteaudun ont-ils obtenu par rapport aux paysans ?

Contrat. Moi, Louis, comte de Blois, fais savoir que les hommes n'ont plus à payer la taille. Il sera permis aux bourgeois d'élire douze d'entre eux pour diriger la ville. Si un habitant veut vendre ce qu'il possède, qu'il le vende. S'il veut s'éloigner de la ville, qu'il parte librement. Nul ne fera la corvée.

D'après la charte de Châteaudun, 1197

Des villes animées et libres

Certaines villes organisaient de grandes foires qui attiraient les marchands de toute l'Europe. Ils en rapportaient des tissus, des fourrures et des épices qu'ils allaient revendre dans d'autres villes (doc. 2). Les commerçants et les artisans (maçons, tailleurs, boulangers…) menaient une existence moins rude que celle des paysans. Au cours du Moyen Âge, les bourgeois ont gagné leur indépendance en se révoltant contre les seigneurs ou en négociant des chartes leur permettant de rendre la justice et de collecter eux-mêmes les impôts (doc. 2).

LEXIQUE

- **un bourgeois** : au Moyen Âge, un habitant des villes.

- **une charte** : un accord qui donne des privilèges aux habitants d'une ville.

- **le couvre-feu** : le signal qui indique qu'il est l'heure d'éteindre les feux.

- **une épidémie** : la transmission rapide d'une maladie dans une population.

- **un faubourg** : un quartier en dehors de la ville.

- **une foire** : un grand marché régional.

La cité de Carcassonne

Les vestiges de la cité de Carcassonne ont été restaurés au XIXᵉ siècle,
ce qui en fait l'une des villes du Moyen Âge les mieux conservées en France.

La ville
était protégée
par deux murs
fortifiés.

Entre les deux murs, les assaillants
ne trouvaient rien pour s'abriter
des flèches ennemies. En période de paix,
cette zone servait pour les tournois.

On entrait dans la ville
par cinq portes étroites,
solidement gardées
et fermées par des herses.

Plusieurs tours
permettaient
de surveiller
les environs.

▷ Décris ce paysage : la ville du Moyen Âge, la campagne environnante, les maisons hors de la vieille ville...

▷ À quoi vois-tu que les habitants de cette ville craignaient les attaques et les pillages ?

▶ Comme partout, les bourgeois de Carcassonne ont demandé une charte.
Mais le seigneur a longtemps refusé : à ton avis, pourquoi ?

▷ Sur la carte 7, situe Carcassonne. Dans quelle région de France cette ville se trouve-t-elle ?

Au XIIᵉ siècle, le seigneur s'est fait construire un château dans la ville, avec des murs fortifiés pour se protéger des révoltes des habitants.

Les maisons étaient serrées, les rues étroites et sales.

Au XIIᵉ siècle, l'évêque a fait construire une cathédrale

Située sur une hauteur, Carcassonne était si bien protégée qu'elle servait de place forte pour les armées du roi.

1 L'Arabie au VIIᵉ siècle

Le commerce, miniature arabe, XIIIᵉ siècle

Grâce aux dromadaires, capables de franchir de longues distances sans boire, les marchands arabes transportaient des marchandises à travers le désert.

▷ Décris ces personnes et ce qu'elles font...
▷ Sur la carte 10, situe l'Arabie.
Par quel océan est-elle bordée ?

2 Une religion nouvelle

La Révélation, miniature turque, XIXᵉ siècle

D'après la tradition arabe, un ange serait apparu à Mohammed vers 610 et lui aurait révélé l'existence d'Allah.

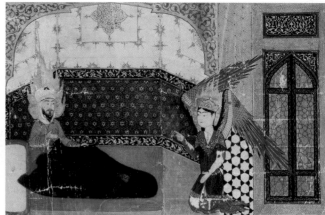

▷ Décris cette scène : le prophète, l'ange.
À quoi les reconnais-tu ?
▷ Ce document est-il une source de l'histoire ?
Justifie ta réponse.

L'Arabie au VIIᵉ siècle

Au début de notre ère, l'Arabie était un vaste désert habité par des populations nomades (carte 10). Les Arabes vivaient de l'élevage et surtout du commerce : les marchands rapportaient de régions parfois très éloignées (Inde, Afrique…) de l'or, de l'ivoire, des épices, des étoffes précieuses et des esclaves (doc. 1). Les Arabes étaient organisés en tribus rivales. Ils s'affrontaient en d'incessantes guerres et étaient polythéistes.

Une religion nouvelle

Au VIIᵉ siècle, Mohammed (Mahomet), un marchand arabe de La Mecque, commença à enseigner la croyance en un dieu unique, Allah (doc. 2) et un ensemble de règles de vie (doc. 3). Cette nouvelle religion est appelée « islam ». Les premiers musulmans furent persécutés et, en 622, le Prophète dut fuir La Mecque pour la ville de Médine. Cet événement, que l'on appelle l'Hégire, marque le début du calendrier musulman (chronologie F).

3 Une religion nouvelle

Texte religieux. Les serviteurs d'Allah le Miséricordieux sont ceux qui marchent humblement sur Terre, qui passent les nuits prosternés devant leur Seigneur ; qui ne sont ni prodigues ni avares ; qui ne tuent pas la vie que Dieu a rendue sacrée, sauf à bon droit ; qui ne donnent pas de faux témoignages ; et qui, lorsqu'ils passent auprès d'une frivolité, s'en écartent. Ceux-là auront pour récompense le Paradis et ils y seront accueillis avec le salut et la paix, pour y demeurer éternellement.

Extraits du Coran, Sourate 25, 63-76

▷ Quels sont les devoirs et les interdits pour les musulmans ?
▷ D'après le Coran, quelle sera leur récompense ?

4 L'essor de l'islam

Le pèlerinage de La Mecque, miniature turque, XVe siècle

La Mecque, ville natale de Mohammed, est la ville sainte de l'islam : les musulmans se tournent vers elle pour prier et sont nombreux à s'y rendre en pèlerinage.

▷ Décris cette scène.
▷ Sur la carte 10, situe La Mecque.

L'essor de l'islam

En 630, Mohammed revint à La Mecque, dont il prit le contrôle avec ses partisans. Il en fit la ville sainte de l'islam et un lieu de pèlerinage (doc. 4). L'Arabie devint alors en majeure partie musulmane. Après la mort de Mohammed en 632, l'islam acheva de se propager en Arabie. Les musulmans consignèrent par écrit, dans le Coran, l'enseignement de Mohammed et bâtirent les premières mosquées (pp. 96-97).

LEXIQUE

● **l'Hégire** : le départ du Prophète, de La Mecque vers Médine, en 622.

● **une mosquée** : un bâtiment dans lequel les musulmans prient.

● **les musulmans** : les croyants de l'islam.

● **un prophète** : une personne qui se dit inspirée de Dieu et parle en son nom.

35 L'Empire arabe VIIe-VIIIe siècle

↓ 1 L'expansion arabe

Les troupes arabes, miniature arabe, XIIIe siècle

▷ Décris ces soldats et compare-les au guerrier franc (p. 66) qui vivait à la même époque.

▷ Sur la carte 10, nomme et situe les régions conquises par les Arabes.

↓ 2 La fin de l'expansion arabe

■ Témoignage anonyme. Les Arabes franchirent les montagnes et s'avancèrent dans le pays des Francs. Charles Martel leur fit front. Pendant sept jours, les deux armées se préparèrent au combat. Ensuite, les Francs se battirent et massacrèrent les Arabes à coups d'épée. La nuit mit fin au combat. Le lendemain, les Francs se préparèrent à combattre encore. Ils virent le camp immense des Arabes et découvrirent que les tentes étaient toutes vides. En silence, pendant la nuit, les Arabes étaient repartis chez eux.

D'après un texte arabe anonyme, XIVe siècle

▷ À l'aide de la carte 10 et de la chronologie F, trouve où et quand cette bataille a eu lieu.

L'expansion arabe

Après la mort de Mohammed, les Arabes se lancèrent à la conquête des territoires voisins de l'Arabie puis de territoires plus éloignés. Ils voulaient y diffuser l'islam, mais aussi unir les tribus arabes dans un combat commun et étendre leur empire commercial (doc. 1). Au VIIe siècle et au début du VIIIe siècle, ils conquirent un vaste espace : le Proche-Orient, le Moyen-Orient, l'Égypte, l'Afrique du Nord et l'Espagne (carte 10). Au milieu du VIIIe siècle, leur expansion fut arrêtée un peu par-tout. Ainsi, à l'ouest, alors qu'ils tentaient de conquérir le Royaume franc, les troupes franques dirigées par Charles Martel, maire du palais à la cour des Mérovingiens, les battirent à Poitiers en 732 (doc. 2 et chronologie F).

La puissance de l'Empire arabe

L'ensemble des territoires conquis constitua l'Empire arabe, qui fut divisé en provinces, gouvernée chacune par un émir. À la tête de l'empire, le calife, à la fois chef politique et religieux, disposait

→ 3 La puissance politique de l'Empire arabe

Un calife, miniature arabe, XIIIᵉ siècle

▷ Quels éléments de l'illustration montrent que le calife est un souverain ? qu'il est considéré comme un saint ?

↓ 4 La puissance commerciale de l'Empire arabe

Roman. Un marchand de Bagdad, nommé Ali Kogia, se préparait à partir en pèlerinage à La Mecque. Il se joignit à une caravane avec un chameau chargé de marchandises. Quand il eut achevé son pèlerinage, il exposa ses marchandises pour les vendre. Deux marchands les trouvèrent si belles qu'ils dirent : « Si ce marchand savait le bénéfice qu'il ferait en Égypte avec ces marchandises, il les y porterait. » Ali Kogia partit donc en Égypte. Il y vendit ses marchandises et fit un grand profit. Il en acheta d'autres qu'il alla vendre à Damas. Puis il accompagna des marchands en Inde et revint à Bagdad : il resta absent pendant sept ans.

D'après les *Contes des mille et une nuits*, XIIᵉ siècle

▷ Quelle était la religion d'Ali Kogia ? Justifie ta réponse.

▷ À l'aide d'un atlas, retrouve le chemin qu'il a parcouru.

▷ Qu'est-ce que ce texte nous apprend sur le commerce dans l'Empire arabe ?

---

d'une puissante armée et de nombreux fonctionnaires, chargés de faire appliquer ses décisions dans tout le monde musulman (doc. 3).
Situé au carrefour de l'Asie, de l'Afrique et de l'Europe, avec un accès à la Méditerranée et un autre à l'océan Indien, l'Empire arabe contrôlait le commerce entre ces régions. Il achetait et vendait des esclaves et des produits de luxe comme les soieries, des épices, de l'ivoire et des métaux précieux. L'Empire arabe devint immensément riche (doc. 4). Mais, trop vaste, l'Empire se divisa au Xᵉ siècle en califats rivaux.

LEXIQUE

- **un califat** : un État dirigé par un calife.

- **un calife** : le chef politique et religieux d'un État musulman, appelé califat.

- **un émir** : un chef politique d'une région dans un pays musulman.

- **une épice** : un produit végétal qui donne du goût aux aliments (poivre, curry...).

- **une soierie** : un tissu précieux en soie.

La mosquée de Kairouan

La mosquée de Kairouan (Tunisie) a été construite au IXe siècle
par les Arabes. Elle témoigne de la splendeur de l'art musulman de l'époque.

Les musulmans prient
cinq fois par jour
et se rendent tous les vendredis
à la mosquée pour la grande prière.

Pour se purifier
avant la prière,
ils font des ablutions
dans ces salles.

Ils entrent dans
la salle de prière
sans leurs chaussures
en signe de dépouillement.

LEXIQUE

- **les ablutions** : des gestes de purification du corps par l'eau.
- **un cadran solaire** : un cadran muni d'une tige dont l'ombre permet de connaître l'heure.
- **un imam** : un religieux musulman chargé de diriger la prière.
- **un minaret** : la tour d'une mosquée.
- **un muezzin** : un religieux musulman chargé d'appeler à la prière cinq fois par jour.

▷ Décris cette mosquée : sa forme, ses différentes parties, sa couleur, la ville qui l'entoure…

▶ As-tu déjà vu une autre mosquée ? Où était-ce ? Ressemble-t-elle à celle-ci ?

▷ Sur la carte 10, situe Kairouan.

Du haut du minaret, le muezzin appelle les musulmans à la prière cinq fois par jour.

36 Affrontements et échanges autour de la Méditerranée XIᵉ-XIIIᵉ siècle

⬇ 1 Les affrontements Les croisades, enluminure, XIVᵉ siècle

Discours écrit. Il est urgent d'apporter à vos frères d'Orient l'aide si souvent promise. Les Arabes les ont attaqués. Si vous les laissez à présent sans résister, ils vont étendre leur vague sur beaucoup de serviteurs de Dieu. Si ceux qui iront là-bas perdent leur vie pendant le voyage ou dans la bataille, leurs péchés seront pardonnés.

D'après le pape Urbain II, 1095

▷ Quels arguments le pape emploie-t-il pour inciter les chrétiens à partir en croisade ?

▶ En quoi cet appel prouve-t-il l'influence de l'Église sur la société ?

▷ Décris cette scène.

▶ À quoi reconnais-tu les chevaliers chrétiens ? les guerriers arabes ?

Les affrontements

Au XIᵉ siècle, les musulmans conquirent Jérusalem, ville sainte pour les chrétiens (elle abrite le tombeau de Jésus de Nazareth) et pour les musulmans (elle abrite l'une des plus grandes mosquées). Le pape demanda aux chrétiens d'aller délivrer la Terre sainte (doc. 1 et carte 11). Du XIᵉ au XIIIᵉ siècle, huit croisades, opposèrent musulmans et chrétiens (chronologie F). Des milliers de chrétiens quittèrent l'Europe pour participer aux combats dans les territoires musulmans. Beaucoup moururent en chemin ou sur place (doc. 1).

Les échanges

Au Moyen Âge, les Européens s'aventuraient peu dans les territoires lointains. Pour se procurer les produits venus de Chine (soieries), d'Inde (épices, pierres précieuses) ou d'Afrique (or et ivoire), les Européens s'adressaient généralement aux Arabes (doc. 2). L'Italien Marco Polo est l'un des rares Européens à avoir voyagé au loin : de 1271 à 1295, il aurait atteint et parcouru la Chine. Il en aurait rapporté une description détaillée et d'importantes richesses.

Les relations commerciales entre les Arabes et les

→ 2 Les échanges : le commerce

Miniature persane (Iran), XIIIe siècle

Les bateaux arabes possédaient un gouvernail qui leur permettait de manœuvrer, même avec un lourd chargement, et d'affronter l'Océan. Aussi pouvaient-ils se rendre dans des terres lointaines, en Inde ou en Chine, quand les bateaux européens se contentaient de petits parcours le long des côtes méditerranéennes. Les ports européens de la mer Méditerranée se sont donc spécialisés dans le commerce avec l'Empire arabe.

▷ Décris ce bateau et ses occupants.

▷ Situe le gouvernail et explique comment il fonctionne.

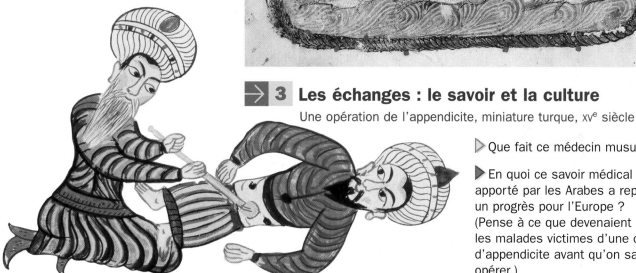

→ 3 Les échanges : le savoir et la culture

Une opération de l'appendicite, miniature turque, XVe siècle

▷ Que fait ce médecin musulman ?

▷ En quoi ce savoir médical apporté par les Arabes a représenté un progrès pour l'Europe ?
(Pense à ce que devenaient les malades victimes d'une crise d'appendicite avant qu'on sache opérer.)

Européens ont été l'occasion d'autres apports à l'Europe. Les Arabes ont transmis aux Européens leurs propres découvertes (en mathématiques, par exemple) et celles acquises d'autres civilisations (le papier, inventé par les Chinois ; la médecine et la philosophie inventées par les Grecs pendant l'Antiquité) (doc. 3). L'art européen s'est beaucoup inspiré de l'art musulman : certaines églises ont été construites sur le modèle des mosquées ou ont été ornées de décors d'inspiration islamique. L'art de beaux jardins s'est répandu dans toute l'Europe. De nombreux mots arabes sont passés dans le vocabulaire français : coton, douane, bazar, magasin…

LEXIQUE

● **les croisades** : les huit guerres qui ont opposé les chrétiens et les musulmans, du XIe au XIIIe siècle.

● **islamique** : musulman.

● **la philosophie** : la réflexion des penseurs sur le sens de vie, la place des êtres humains dans l'Univers et la manière d'organiser la société.

● **la Terre sainte** : le pays dans lequel Jésus de Nazareth est né, a vécu et est mort.

La restauration du pouvoir royal en France 987-1314

← 1 **Une nouvelle dynastie**

Le couronnement d'Hugues Capet, enluminure, XIVe siècle

▷ Décris le couronnement de ce roi. Qui couronne Hugues Capet ?

▷ En quoi cela renforce-t-il son prestige ?

▷ Identifier les symboles du roi de France : la couronne, le sceptre, le manteau bleu à fleurs de lys.

▷ D'après la chronologie G, quand Hugues Capet a-t-il été couronné ?

▷ D'après la chronologie, comment appelle-t-on les descendants de ce roi ? Nomme trois rois de cette dynastie.

Une nouvelle dynastie

Au Xe siècle, les Carolingiens avaient perdu toute autorité : ils étaient les suzerains des grands seigneurs mais ils n'exerçaient leur pouvoir que sur le domaine royal. En 987, les grands seigneurs choisirent l'un d'eux, Hugues Capet, comme roi (doc. 1 et chronologie G). Lui-même puis ses successeurs, les Capétiens, se firent sacrer par un évêque pour indiquer qu'ils étaient les représentants de Dieu sur la Terre. Pour ne pas diviser le royaume, chaque roi désigna son fils aîné comme unique héritier.

La conquête du domaine royal

Trois rois capétiens, Philippe Auguste, Louis IX (dit Saint Louis) et Philippe le Bel ont progressivement agrandi le domaine royal en achetant des terres, en les obtenant par des alliances (mariage, héritage) et en combattant certains seigneurs (chronologie G). Ils ont exercé leur influence sur un espace de plus en plus vaste, jusqu'à reprendre en main la totalité du royaume de France (carte 12). Ils ont aménagé Paris pour en faire une véritable capitale (doc. 2).

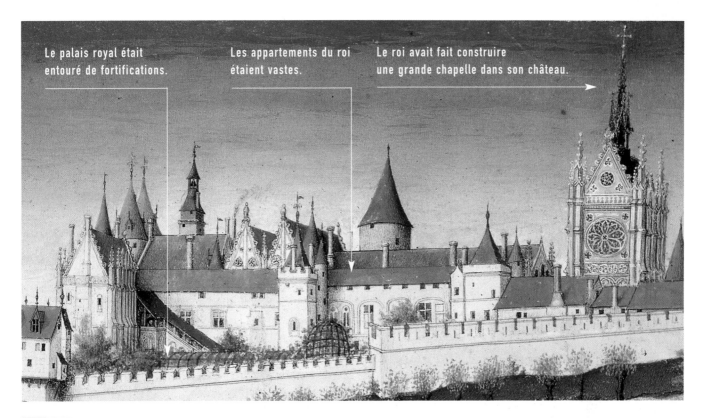

Le palais royal était entouré de fortifications.

Les appartements du roi étaient vastes.

Le roi avait fait construire une grande chapelle dans son château.

↑ 2 La conquête du domaine royal

Le palais royal sur l'île de la Cité à Paris, miniature, xve siècle

▷ Quels éléments montrent que ce palais était la demeure du roi ? Que le roi de France avait des ennemis ? qu'il était chrétien ?

▷ Sur la carte 12, situe le domaine royal sous Hugues Capet.

▷ Situe le domaine royal sous ses successeurs.

▶ À ton avis, que s'est-il passé entre les deux ?

→ 3 Le rétablissement de l'autorité royale

Louis IX a créé une monnaie valable dans tout le royaume : l'écu.

▷ Décris cette monnaie.

▶ À ton avis, pourquoi s'appelle-t-elle un « écu » ?
(Aide-toi du document p. 80.)

Le rétablissement de l'autorité royale

Les Capétiens ont bataillé contre les seigneurs et ont progressivement établi leur autorité sur le royaume. Dans chaque région, ils ont nommé un bailli ou un sénéchal chargé de rendre la justice en leur nom, de collecter les impôts et de contrôler l'armée. Ils ont créé une monnaie valable dans tout le royaume : l'écu (doc 3). À l'extérieur, les Capétiens ont défendu la France contre les pays voisins et agrandi le royaume (carte 12). Au début du xive siècle, le roi de France était puissant et respecté et le royaume bien administré.

LEXIQUE

- **un bailli ou un sénéchal** : un inspecteur royal.
- **les Capétiens** : Hugues Capet et ses descendants.
- **une dynastie** : une succession de rois appartenant à la même famille.
- **la royauté** : le pouvoir du roi.
- **un sceptre** : un bâton symbole du pouvoir royal.

38 La guerre de Cent Ans 1337-1453

↓ 1 **L'avancée des Anglais**

La prise de Moncontour en 1371, miniature, XVe siècle

■ **Témoignage anonyme.** Selon les règles de succession en France, le pouvoir ne pouvait pas être transmis par les femmes. En Angleterre, en revanche, les femmes pouvaient succéder à leur père. À la mort du roi Charles IV, toute la question était de savoir à qui devait être confiée la garde du royaume, en raison du principe que dans le royaume de France, la femme n'a pas accès au pouvoir royal. De leur côté, les Anglais déclaraient que le jeune roi Edouard était le plus proche parent en tant que fils d'Isabelle, petit-fils de Philippe le Bel et, par conséquent, neveu de Charles IV. Mais les Français n'admettaient pas l'idée d'être dominés par l'Angleterre.

D'après Jean de Venette, XIVe siècle.

Les armées utilisaient de nouvelles armes : l'artillerie, qui permettait de projeter des boulets sur les fortifications.

▷ Pourquoi les Anglais voulaient-ils qu'Edouard III devienne roi de France ? Pourquoi les Français s'opposaient-ils à ce projet ?

▷ Décris cette ville, les soldats, les armes utilisées...

▷ À ton avis, qui va remporter la bataille ? Justifie ta réponse.

L'avancée des Anglais

En 1337, Edouard III, roi d'Angleterre, qui possédait un grand domaine en France et prétendait être le successeur du roi de France, déclara la guerre aux Français. Au XIVe siècle, les Français furent contraints de céder le sud-ouest de la France (doc. 1, carte 13 et chronologie G).

En 1420, Charles VI, roi de France, atteint de folie, désigna le roi d'Angleterre comme son successeur. À sa mort, la France se déchira dans une terrible guerre civile entre les partisans du roi d'Angleterre et ceux de Charles VII, fils de Charles VI.

La reconquête de la France

Pendant la guerre de Cent Ans, des personnes se mobilisèrent pour reconquérir la France. Parmi elles, une jeune femme, Jeanne d'Arc, se fit confier une armée par Charles VII (doc. 2) : elle libéra Orléans en 1429 puis incita Charles VII à se faire sacrer à Reims pour imposer sa légitimité (doc. 3, carte 13 et chronologie G). Emprisonnée par les Anglais, Jeanne d'Arc fut brûlée à Rouen. Mais les troupes du roi de France repoussèrent les Anglais et leurs alliés français et mirent fin à la guerre en 1453. En 1475, le roi d'Angleterre renonça à la France.

→ 2 La reconquête de la France : Jeanne d'Arc

Portrait anonyme de Jeanne d'Arc, XVᵉ siècle

▶ Décris Jeanne d'Arc. À ton avis, pourquoi porte-t-elle une armure ?

▷ Sur la carte 13, retrouve le trajet de ses troupes, de Chinon à Compiègne.

↓ 3 La reconquête de la France : le sacre de Charles VII

Enluminure du XVᵉ siècle

▷ Décris le sacre de Charles VII : le roi, les autres personnes, leur attitude…

▷ Quels symboles de la royauté française sont visibles sur cette enluminure ?

▶ Pourquoi était-il important que le roi se fasse sacrer par un évêque ?

La progression du pouvoir royal

Pendant la guerre et plus encore quand la paix fut retrouvée, les rois de France poursuivirent l'œuvre entreprise par leurs prédécesseurs. Ainsi, Louis XI agrandit le domaine royal et accru l'autorité du roi sur le royaume (carte 14 et chronologie G). Il renforça son pouvoir en interdisant aux seigneurs de guerroyer, en constituant une armée de métier et en créant des impôts royaux permanents : la taille, la gabelle et les aides. Le temps des seigneurs s'achevait : désormais, le roi exerçait son autorité sur la France entière.

LEXIQUE

● **l'artillerie** : l'ensemble des engins de guerre (canons…).

● **une guerre civile** : une guerre entre les habitants d'un même pays.

● **guerroyer** : faire la guerre.

● **imposer la légitimité d'un roi** : faire reconnaître qu'il est en droit de régner.

39 Les progrès au Moyen Âge

⬇ 1 Les progrès de l'agriculture Enluminure, XIVᵉ siècle

▷ Décris ces paysans et leurs activités.

▷ Compare les travaux agricoles avec ceux de la p. 74 et énumère les progrès réalisés au Moyen Âge.

▷ À ton avis, quelles ont été les conséquences de tous ces progrès ?

La herse aère la terre avant les semailles.

Le collier d'épaule permettait de faire tirer une lourde charge (herse, charrue) par un animal.

La charrue dispose d'une lame métallique qui trace un sillon et d'un versoir qui retourne la terre.

Les progrès de l'agriculture

À partir du XIᵉ siècle, l'amélioration des outils et des techniques, dont l'invention de la charrue qui retourne le sol, ont permis d'accroître les rendements agricoles (doc. 1). Les récoltes sont devenues plus abondantes. Les paysans se sont mieux nourris (fèves, pois, pain avec de la farine de céréales, produits de l'élevage). La mortalité a alors diminué et la population a augmenté.

Les progrès de la navigation

Au Moyen Âge, les Européens ont commencé à utiliser des outils de navigation inventés par les Chinois et les Arabes, comme la boussole qui permet de déterminer sa direction (doc. 2). Ils ont amélioré leurs navires, notamment les voiles et le gouvernail à l'arrière, de manière à mieux les diriger. Les marins ont alors pu s'éloigner des côtes et s'aventurer en pleine mer.

→ 2 Les progrès de la navigation

Enluminure, XIVᵉ siècle

L'astrolabe permettait aux marins de situer leur position en mer en se repérant à la position des étoiles.

▶ Pourquoi, avant l'invention de la boussole et de l'astrolabe, les marins n'osaient pas s'aventurer en pleine mer ?

→ 3 L'invention de l'imprimerie

Gravure, XVIᵉ siècle

▷ Retrouve, sur la gravure, les activités de ces personnes :
– un homme place, dans l'ordre, les caractères d'imprimerie, en s'aidant d'un modèle ;
– un autre apporte un tampon pour encrer les caractères ;
– un autre serre la presse dans laquelle se trouve la feuille à imprimer, posée sur les caractères couverts d'encre ;
– un homme vérifie la feuille imprimée ;
– un dernier range les feuilles pour constituer un livre.

▶ En quoi l'invention de l'imprimerie a-t-elle représenté un progrès ?

▶ Fais des recherches et trouve quel est le premier livre qui a été imprimé par Gutenberg.

L'invention de l'imprimerie

Durant tout le Moyen Âge, les livres étaient recopiés à la main par des moines sur des parchemins puis sur du papier. Vers 1440, l'Allemand Gutenberg mit au point l'imprimerie. Ce système permettait de fabriquer des livres en grand nombre (doc. 3). Les connaissances et les idées se sont alors propagées.

Les progrès de la navigation et l'invention de l'imprimerie marquent le début d'une nouvelle période de l'histoire, que l'on appelle les « Temps modernes » (chronologies D et H).

L E X I Q U E

● **les rendements agricoles** : la quantité de récoltes par rapport à la surface cultivée.

4 Des Temps modernes à l'Empire napoléonien

de 1492 à 1815

Joseph Vernet, *Le Port de Marseille*, 1754

sommaire

40	**Les grandes explorations**	108
41	**L'Europe domine le monde**	110
Dossier	La traite des Noirs	112
42	**La Renaissance : l'art et la pensée**	114
Dossier	Le château de Chambord	116
43	**La Renaissance : les sciences**	118
44	**Les réformes religieuses**	120
45	**La monarchie absolue**	122
Dossier	Le château de Versailles	124
46	**Les progrès techniques au XVIIIe siècle**	126
47	**La société française sous la monarchie absolue**	128
48	**Le mouvement des Lumières**	130
49	**La Révolution française**	132
Dossier	La Déclaration des droits de l'homme et du citoyen	134
50	**La République**	136
Dossier	Les femmes sous la Révolution	138
51	**La Terreur**	140
52	**Napoléon et l'Empire**	142
53	**Les guerres de l'Empire**	144
54	**L'héritage de la Révolution**	146

1 À l'assaut des mers Carte de 1489

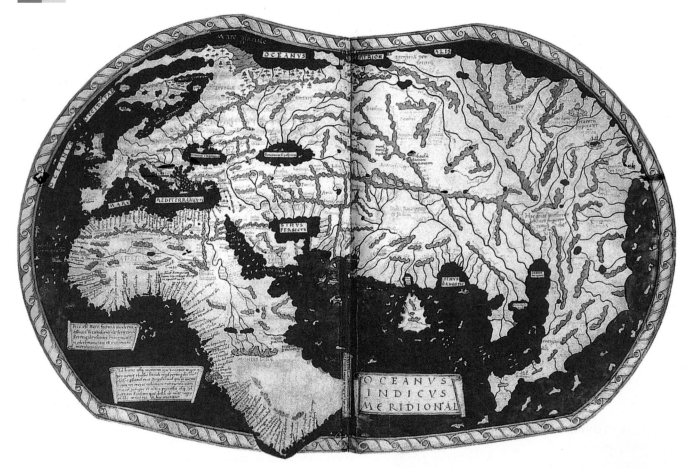

▷ Décris cette carte.

▶ À l'aide d'un planisphère, identifie les parties du monde représentées, celles inconnues des Européens de l'époque (non représentées) et celles méconnues (mal représentées).

▷ Lis le texte et explique les motivations des navigateurs.

Chronique. Henri le Navigateur, fils du roi du Portugal, désirait savoir quelles terres il y avait au-delà des îles Canaries, car jusqu'à cette époque, personne ne le savait. Il pensait aussi qu'on pourrait en rapporter beaucoup de marchandises bon marché. Il désirait aussi augmenter la sainte foi en Notre Seigneur Jésus-Christ et amener à elle toutes les âmes désireuses d'être sauvées.

D'après G. Eanes de Zurara, XVIᵉ siècle

À l'assaut des mers

Au XVᵉ siècle, poussés par l'esprit d'aventure, la curiosité, le désir de s'enrichir et de convertir au christianisme les peuples du monde entier, des navigateurs européens se lancèrent dans de grandes expéditions maritimes (doc. 1). Ils profitaient des progrès de la navigation de la fin du Moyen Âge et de la mise au point de navires rapides, capables d'affronter les océans : les caravelles.

L'Afrique puis l'Inde

Les navigateurs explorèrent les côtes africaines puis cherchèrent à contourner l'Afrique pour atteindre l'Inde et la Chine. Le Portugais Bartolomeu Diaz atteignit l'extrême sud du continent africain en 1487. Le Portugais Vasco de Gama parvint à franchir le cap de Bonne-Espérance et fut, en 1498, le premier Européen à arriver en Inde (carte 16 et chronologie I).

→ 2 L'Amérique

▷ Lis ce texte et raconte cette aventure avec tes propres mots.

▶ Quelle est la nature de ce texte ? Quand a-t-il été écrit ?

▷ Combien de temps ce voyage a-t-il duré ?

▶ À ton avis, de quoi les marins avaient-ils peur ?

▷ Sur la carte 16, retrouve le voyage de Christophe Colomb : d'où est-il parti ? où est-il arrivé ?

Journal de bord.

9 septembre. À trois heures, le vent de nord-est se lève et je prends la route vers l'ouest. Les marins perdent complètement de vue la terre. Craignant de ne pas la revoir de longtemps, beaucoup soupirent et pleurent. Je les réconforte en leur disant toutes les terres et toutes les richesses que nous allons découvrir.

24 septembre. Plus les jours passent, plus la peur des marins grandit.

10 octobre. Les hommes n'en peuvent plus et se plaignent de la longueur du voyage. Je les réconforte et leur dis qu'il est vain de se plaindre car j'entends poursuivre jusqu'à ce que j'aie trouvé les Indes.

11 octobre. Grosse mer. Le navire en tête fait signe qu'il a découvert la terre. C'est un marin nommé Rodrigo de Triana qui vit cette terre le premier.

12 octobre. La terre apparaît à deux heures du matin. Quelques heures plus tard, je débarque dans une île. Je déploie le drapeau royal.

24 octobre. Je pars pour une île que les Indiens appellent Cuba. Si j'en crois les Indiens, ce doit être le Japon. Ils disent qu'elle est bien pourvue de perles, d'or et d'épices.

D'après Christophe Colomb, 1492

→ 3 Le tour du monde

▷ Lis ce texte et raconte cette aventure avec tes propres mots.

▶ Quelle est la nature de ce texte ?

▷ Combien de temps ce voyage a-t-il duré ?

▶ Pour quelle raison, en novembre 1520, les marins n'avaient-ils plus rien à manger ?

▷ Sur la carte 16, situe le trajet effectué par Magellan puis par son équipage.

▶ Que penses-tu de la phrase datée de novembre 1520 ?

Journal de bord.

10 août 1519, océan Atlantique. Avec 237 marins dans cinq navires, nous sommes partis d'Europe vers l'Amérique.

Octobre 1520, sud de l'Amérique. Après avoir perdu un navire, nous avons trouvé un passage au sud de l'Amérique.

Novembre 1520, océan Pacifique. Nous sommes entrés dans l'océan Pacifique où nous sommes restés trois mois et vingt jours, sans trouver à manger ni à boire. Nous avons mangé des vieux biscuits pleins de vers et d'urine de rats, de la sciure de bois et des rats. De nombreux marins sont morts. Je crois que personne ne fera plus jamais ce voyage.

Mars 1521, océan Pacifique. Après plus de trois mois dans l'océan Pacifique, nous avons vu des petites îles inhabitées. Nous y avons trouvé des vivres. Quelque temps plus tard, nous avons trouvé des îles habitées.

Avril 1521, océan Pacifique. Un Indien a jeté une lance empoisonnée au capitaine Magellan et l'a tué. Nous avons dû fuir sur nos bateaux.

Avril 1522, océan Indien. Nous avons atteint le passage au sud de l'Afrique. Il nous fallut neuf semaines pour le franchir tant il est dangereux. Puis nous avons navigué deux mois sans trouver de ravitaillement et vingt et un hommes sont encore morts.

6 septembre 1522, Europe. Nous sommes arrivés en Espagne avec seulement 18 hommes et un seul bateau. Depuis que nous sommes partis, nous avons parcouru 86 000 km, nous avons passé 1 080 jours en mer et accompli le tour du monde.

D'après Antonio Pigafetta, 1519-1522

L'Amérique

Les savants affirmaient que la Terre est ronde. En 1492, Christophe Colomb partit avec trois caravelles vers l'ouest dans l'espoir de trouver une nouvelle route vers l'Inde. Il atteignit une terre qu'il prit pour l'Asie (doc. 2 et carte 16). Après lui, un autre voyageur, Amerigo Vespucci, comprit qu'il s'agissait d'un continent dont les Européens ignoraient l'existence et auquel on donna son nom : l'Amérique.

Le tour du monde

En 1519, Magellan décida de prouver que la Terre est ronde en réalisant le tour du monde : parti du Portugal, il fit route vers l'ouest, contourna l'Amérique par le sud et atteignit les Philippines. Il mourut en chemin mais, surmontant les difficultés, quelques marins de son équipage poursuivirent le voyage et revinrent en Europe. Ce périple prouva que la Terre est ronde (doc. 3 et carte 16).

1 La colonisation de l'Amérique

Gravure, XVIIᵉ siècle

▷ Comment les Européens ont-ils fait disparaître les Amérindiens ?

▷ Quel était leur objectif ?

▷ Pourquoi les Européens étaient-ils supérieurs aux Amérindiens lors des combats ?

Témoignage d'un voyageur espagnol. Les Européens se comportèrent à la manière des tigres et des lions cruels. En quarante ans sont morts, à cause d'eux, plus de douze millions d'êtres vivants, hommes, femmes, enfants. Il y a deux façons pour ces gens que l'on dit chrétiens de faire disparaître de la Terre ces malheureux peuples : la première, ce furent des guerres cruelles, sanglantes ; la seconde, une oppression si dure, si horrible, que jamais les animaux n'ont eu à subir un tel esclavage. La seule raison pour laquelle des chrétiens ont détruit une si grande quantité d'hommes a été le désir insatiable de l'or, la volonté d'accumuler le plus de richesses possible.

D'après Bartolomé de Las Casas, XVIᵉ siècle

La prospérité commerciale

À la suite des explorateurs, d'autres marins partirent pour les régions nouvellement découvertes et en rapportèrent des richesses : de l'or, de l'argent, de l'ivoire, du tabac, du sucre, des épices… On construisit de nombreux ports le long de la côte Atlantique (p. 106). Le commerce maritime se développa rapidement : des navires sillonnaient les océans pour charger et rapporter en Europe les richesses du monde. Le continent européen connut une période de grande prospérité.

La colonisation de l'Amérique

Des Européens s'installèrent en Amérique pour exploiter les mines et cultiver la canne à sucre et le tabac dans de grandes plantations. En quelques années, les Amérindiens furent exterminés, soit lors des guerres qu'ils menaient pour empêcher l'installation des Européens, supérieurs grâce à leurs armes à feu, soit du fait de maladies contagieuses apportées d'Europe, soit encore à cause des conditions de travail que les Européens leur imposèrent en les obligeant à travailler pour eux (doc. 1).

▷ Décris la scène ci-dessus.

▷ D'après ce texte, combien d'Africains ont été emmenés en Amérique ? Combien d'habitants l'Afrique a-t-elle perdu ?

▷ Sur la carte 17, cherche ce que l'on appelle le « commerce triangulaire ».

Texte d'historien. La traite atlantique a représenté, du XVᵉ au XIXᵉ siècle, environ 12 millions de transportés. Mais ce chiffre ne concerne que les transportés : il faudrait y ajouter les morts sur les routes, les morts au cours des razzias, les victimes des effets de ces razzias (récoltes et réserves détruites, etc.). Il est plausible que la traite a fait perdre à l'Afrique 50 à 80 millions de personnes.

D'après J. Suret-Canale, *Encyclopædia Universalis*, **2001**

La traite des esclaves

À partir du XVIᵉ siècle, les Européens se tournèrent vers l'Afrique pour s'y procurer de la main-d'œuvre. Ils achetaient des hommes et des femmes, contre des marchandises sans valeur et des armes à feu, puis les emmenaient comme esclaves en Amérique pour les faire travailler dans les grandes plantations : c'est ce que l'on appelle le commerce triangulaire (carte 17). Les conditions de travail et de vie des esclaves étaient effroyables (doc. 2). La traite des Noirs a duré ainsi jusqu'au XIXᵉ siècle.

LEXIQUE

● **les Amérindiens** : les habitants de l'Amérique, que les premiers navigateurs ont pris pour l'Inde.

● **la colonisation** : le fait de s'installer, de prendre le contrôle d'un pays pour en exploiter les richesses.

● **exterminer** : tuer toutes les personnes d'un groupe.

● **une plantation** : un domaine agricole en zone tropicale.

● **la prospérité** : la richesse.

● **la traite des esclaves** : le commerce des êtres humains.

La traite des Noirs XVIᵉ-XIXᵉ siècle

En Afrique et sur l'Océan

⬇ 1 Les razzias en Afrique Tableau, XIXᵉ siècle

Témoignage d'un ancien esclave. J'avais onze ans. Un jour, alors que tout le monde était parti travailler et que je restai seul à la maison avec ma sœur, deux hommes escaladèrent notre clôture, nous prirent, nous bâillonnèrent et nous emportèrent vers la forêt. Ils nous transportèrent aussi loin qu'ils le purent, jusqu'à la tombée de la nuit. Le jour suivant, ma sœur et moi fûmes arrachés l'un à l'autre. On me fit marcher pendant des jours, étroitement ligoté. J'arrivai enfin sur un grand fleuve couvert de pirogues. On me mit dans l'une de ces pirogues et nous descendîmes le fleuve. Ainsi se poursuivit mon voyage, tantôt par terre, tantôt par eau, à travers des pays différents jusqu'à ce que, six ou sept mois après mon enlèvement, j'arrive au bord de la mer.

D'après La Véridique Histoire d'Olaudah Equiano, 1789

▷ Raconte comment Olaudah Equiano est devenu esclave.

▶ À ton avis, pourquoi des témoignages comme le sien sont-ils rares ?

▷ Décris ce tableau et explique pourquoi on a attaché ces personnes ?

⬇ 2 Le voyage vers l'Amérique Gravure, XIXᵉ siècle

Témoignage. On me transporta à bord d'un grand bateau. Je vis une foule de gens de couleur, enchaînés et désespérés. Ils me dirent qu'on nous transportait au pays des hommes blancs pour travailler pour eux. Je compris que je ne reverrais jamais mon pays natal. Je fus précipité dans la cale, où régnait une répugnante puanteur due à la chaleur et à la manière dont nous étions entassés, au point que nous pouvions à peine nous retourner. Nous transpirions abondamment et l'air était irrespirable, ce qui provoqua des maladies dont beaucoup d'esclaves moururent. Cette situation était aggravée par les chaînes, qui devenaient insupportables. Pendant le voyage, du fait de mon jeune âge, on me garda finalement sur le pont et l'on ne me mit pas de chaînes. Deux hommes blancs me donnèrent à manger et, devant mon refus, ils m'attachèrent et me fouettèrent.

D'après La Véridique Histoire d'Olaudah Equiano, 1789

▷ Dans quelles conditions les esclaves étaient-ils transportés en Amérique ?

▷ Pourquoi beaucoup tombaient-ils malades et mouraient-ils ?

▶ À ton avis, pourquoi ces marins ont-ils cherché à garder Olaudah Equiano en vie et en bonne santé ?

LEXIQUE

● **une razzia** : le fait d'entrer dans un territoire pour piller et commettre des violences.

En Amérique

→ **3 La vente des esclaves**

▷ Lis ce texte et raconte ce qui s'est passé pour Olaudah Equiano à son arrivée en Amérique.

▷ Que faisaient les marchands et les acheteurs pour s'assurer de l'état des esclaves ?

▷ Comment la vente se déroulait-elle ?

▷ Relève les éléments qui montrent que les esclaves étaient traités comme du bétail.

▷ Relève ceux qui montrent les sentiments de l'auteur.

Témoignage. Nous arrivâmes enfin en vue de l'île de la Barbade. Comme le navire approchait, nous vîmes le port, avec des bateaux de toutes sortes et de toutes tailles, et nous jetâmes l'ancre. Une foule de marchands et de planteurs montèrent à bord. Ils nous examinèrent attentivement, nous firent exécuter des sauts et nous répartirent en différents lots. On nous débarqua le lendemain et on nous conduisit dans un enclos, où nous fûmes parqués comme des moutons. Nous étions là depuis quelques jours, sous la garde du marchand, quand on procéda à notre vente. À un signal (un roulement de tambour), les acheteurs se précipitaient tous ensemble dans l'enclos où étaient rassemblés les esclaves, ils choisissaient le lot qu'ils préféraient. Le tapage, les clameurs et l'avidité des acheteurs augmentaient notre frayeur. On sépara sans scrupule amis et parents qui, pour la plupart, ne se reverraient jamais. C'était vraiment déchirant d'entendre leurs cris. Des parents perdaient leurs enfants, des frères leurs sœurs, des époux leurs femmes.

D'après *La Véridique Histoire d'Olaudah Equiano*, 1789

Edmond Morin, *Vente d'esclaves à Richmond* (États-Unis), 1861

▷ Décris ce marché aux esclaves.

▷ Quel indice te permet de savoir que cette vente a bien lieu aux États-Unis ?

↓ **4 Le sort des esclaves en Amérique**

Témoignage. Pendant quelques semaines, je fus employé à désherber et à désempierrer une plantation. Comme l'homme à qui appartenait ce domaine tomba malade, on m'envoya dans sa demeure pour l'éventer pendant son sommeil. En traversant la maison, je vis une esclave noire qui préparait le dîner : la pauvre était cruellement harnachée de divers instruments en fer, dont un qu'elle portait sur la tête et qui lui fermait si étroitement la bouche qu'elle pouvait à peine parler et pas du tout manger et boire. Je fus choqué par ce dispositif, dont j'appris plus tard qu'on l'appelait muselière de fer.

D'après *La Véridique Histoire d'Olaudah Equiano*, 1789

▷ Trouve dans ce texte trois travaux que l'on demandait aux esclaves.

▷ À ton avis, pourquoi le planteur a-t-il mis une muselière à cette cuisinière ?

▷ Que penses-tu du sort des Africains emmenés en esclavage en Amérique ? Argumente ta réponse.

1 La Renaissance artistique italienne Botticelli, *Le Printemps*, 1477-1478, Italie

La peinture de la Renaissance se différencie de celle du Moyen Âge par sa précision et son exactitude : les proportions du corps sont respectées, les visages, les cheveux, le drapé des tissus sont proches de la réalité, les mouvements du corps et des vêtements sont naturels, les détails sont nombreux…

▷ Lis le nom de ce tableau puis décris la scène et retrouve les éléments expliqués dans la légende.

▷ Compare ce tableau à celui du Moyen Âge p. 89 et trouve au moins deux différences dans le style.

La Renaissance artistique

Au XVe et au XVIe siècle, l'Italie connut un intense renouveau intellectuel et artistique que l'on appelle la « Renaissance ». Des artistes (architectes, sculpteurs, peintres) comme Léonard de Vinci, Michel-Ange et Raphaël développèrent un style nouveau : comme dans l'Antiquité, ils cherchaient à représenter avec exactitude les proportions et les gestes des corps, les mouvements des tissus ; ils fabriquèrent de nouvelles couleurs de peinture, notamment pour la peau ; les peintres introduisirent la perspective qui donne de la profondeur aux tableaux (doc. 1). L'art de la Renaissance se répandit en France au XVIe siècle, sous le règne de François Ier (chronologie H), qui fit venir des artistes italiens comme Léonard de Vinci, encouragea les peintres et les sculpteurs et ordonna la construction de magnifiques châteaux comme celui de Chambord… (doc. 2 et pp. 116-117).

→ 2 La Renaissance artistique française

Jean Goujon, *Diane de Poitiers en déesse de la Chasse*, XVIᵉ siècle, château d'Anet (France)

▷ Décris cette sculpture. Le corps est-il approximatif ou ressemblant ?

▷ Dans l'Antiquité, en Grèce puis à Rome, Diane était la déesse de la Chasse : quel élément permet de la reconnaître ?

▷ Compare cette sculpture à celle du Moyen Âge p. 84 et trouve au moins deux différences dans le style.

↓ 3 La Renaissance intellectuelle

Roman. Emploie ta jeunesse à bien profiter de tes études. Apprends les langues : le grec, le latin, l'hébreu et l'arabe. Étudie la géométrie, l'arithmétique et la musique. Apprends par cœur le droit. Adonne-toi avec curiosité à la connaissance de la nature : qu'il n'y ait aucune mer, aucune rivière, aucune fontaine dont tu ne connaisses les poissons ; tous les oiseaux de l'air, tous les arbustes des forêts, toutes les herbes de la Terre, tous les métaux cachés dans les abîmes, les pierreries de l'Orient et du Midi, que rien ne te soit inconnu. Puis soigneusement, lis les livres des médecins grecs, arabes et latins pour avoir une parfaite connaissance de cet autre monde qu'est l'homme.

Rabelais, 1532

▷ Qu'est-ce que l'auteur conseille à son lecteur ?

▷ Quelles matières conseille-t-il d'apprendre ?

▷ Lesquelles étudies-tu à l'école ? Lesquelles n'étudies-tu pas ?

▷ Quels passages montrent que les humanistes s'intéressaient à l'Antiquité ?

▷ Pourquoi Rabelais conseillait-il d'apprendre le latin et le grec ? l'hébreu et l'arabe ?

La Renaissance intellectuelle

À la même époque, des penseurs, que l'on appelle les « humanistes », se référant aussi à l'Antiquité, réfléchirent à ce qui permet à l'Homme de devenir plus savant et meilleur, et à la société d'être plus juste. En France, Rabelais (XVIᵉ siècle) décrivit ce qui lui semblait l'éducation idéale (doc. 3). En Angleterre, Shakespeare (XVIᵉ siècle) présentait, dans ses pièces de théâtre, des personnages qui imposaient leur volonté de liberté. Les idées des humanistes se répandirent grâce aux livres imprimés.

> ### LEXIQUE
>
> ● **un humaniste** : une personne qui met l'homme au centre de tout.
>
> ● **la perspective** : le dessin d'un objet tel qu'on le voit dans l'espace.

Le château de Chambord

Construit au XVIe siècle au bord de la Loire, à la demande de François Ier,
le château de Chambord ne ressemble pas aux forteresses du Moyen Âge,
et témoigne que les guerres féodales étaient alors achevées.

Le fossé empli d'eau était purement décoratif.

Les fenêtres laissaient entrer la lumière.

365 cheminées chauffaient le château.

Depuis la terrasse, les dames observaient le départ pour la chasse.

▷ Décris ce château : ses différentes parties, son allure, son état...

▷ Quels éléments montrent que ce château a été construit pour le confort de ses habitants ?

▷ Compare ce château à celui de Bonaguil pp. 78-79 : la forme, les murs, les fenêtres, les toits, la façade...

▷ Quels détails montrent que ce château n'a pas été construit pour protéger ses habitants des guerres ?

▷ Sur la carte 15, situe Chambord. Nomme et situe d'autres châteaux de la Renaissance.
Lequel est le plus proche de chez toi ?

Dans les immenses salons, le roi organisait des concerts, des banquets, des bals...

400 chambres permettaient de loger des centaines d'invités.

43 La Renaissance : les sciences

↓1 La méthode scientifique

■ Texte de savant. La Bible n'est pas le seul moyen de connaître le monde qui nous entoure. Dieu nous a dotés de sens et d'intelligence et il n'a pas voulu que nous négligions de les utiliser, ni prévu de nous donner, par un autre moyen, les connaissances que nous pouvons acquérir par nos sens. Nous ne devons pas renier nos sens ou notre raison, en refusant ce qu'ils nous apprennent.

D'après Galilée, XVIIᵉ siècle

▷ Qu'est-ce que Galilée refuse comme unique moyen de connaître le monde ?

▷ Quelles capacités propose-t-il à l'homme d'utiliser pour augmenter ses connaissances ?

▶ À ton avis, qui a critiqué cette proposition ?

↓2 Les progrès techniques

Léonard de Vinci, dessin de la « machine volante », 1485-1488

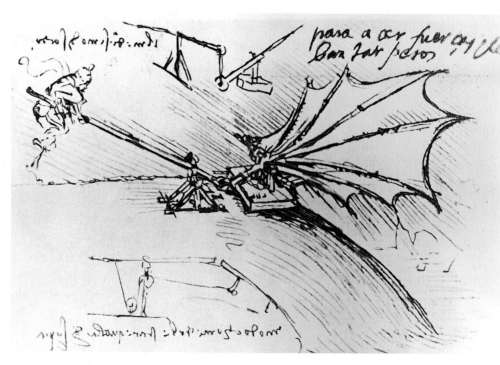

▷ Décris cette machine.

▷ Qui est l'auteur de ce croquis et de ce texte ? Que sais-tu de lui ?

■ Texte de savant. L'homme est capable de construire un instrument semblable à un oiseau, avec ses mouvements, mais pas de lui donner la force nécessaire pour voler : rien ne manque à cet instrument construit par l'homme, que la vie de l'oiseau.

Léonard de Vinci, XVIIᵉ siècle

▷ D'après Léonard de Vinci, que manquait-il à cette machine pour qu'elle fonctionne ?

▷ Qu'est-ce que les avions et les hélicoptères modernes utilisent, qui leur donne cette force nécessaire pour voler ?

La méthode scientifique

La Renaissance (XVᵉ et XVIᵉ siècle) a été une période d'intérêt pour les sciences. Des savants ont fait des recherches en mathématiques, en anatomie, en astronomie, en zoologie… Ils ont suivi la méthode prônée par Galilée, qui proposait de ne plus mélanger les faits scientifiques, l'imaginaire et les croyances religieuses, mais de se fonder sur l'observation, le raisonnement et l'expérimentation pour fonder les découvertes sur des preuves (doc. 1).

Les progrès techniques

Léonard de Vinci, artiste mais aussi savant, a utilisé les progrès réalisés en mathématiques pour mettre au point la perspective en peinture mais aussi pour inventer des machines extraordinaires : machines de guerre, machine à voler, pompe à eau… Très en avance sur son temps, il est, notamment, à l'origine de l'hélicoptère, de l'avion et de la bicyclette, qui n'ont été mis au point qu'au XIXᵉ et au XXᵉ siècle (doc. 2).

Théobald Chartran, *Ambroise Paré opérant un blessé de guerre*, fresque, XIXᵉ siècle

■ Texte de savant. Le Soleil est une étoile fixe, entourée de planètes qui tournent autour d'elle et dont elle est le centre et le flambeau. Tous les mouvements, l'alternance du jour et de la nuit et le retour périodique des saisons dans l'année, sont les résultats de la rotation de la Terre autour de son axe et de son mouvement autour du Soleil. Si quelques hommes ignorants voulaient m'opposer certains passages de la Bible, dont ils détourneraient le sens, je mépriserais leurs attaques : les vérités scientifiques ne doivent être jugées que par des scientifiques.

D'après Copernic, 1543

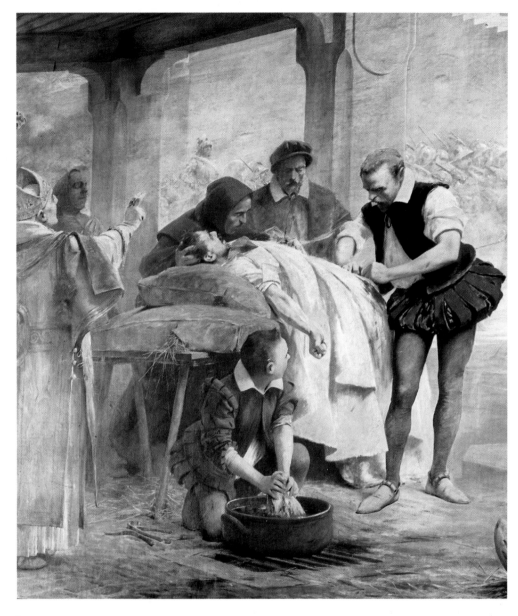

▷ Autrefois, les hommes pensaient que la Terre était immobile et que le Soleil tournait autour : que révèle Copernic ?

▷ D'après la dernière phrase du texte, qui a contesté sa découverte ? À ton avis, pourquoi ?

▷ Décris la scène ci-dessus : le lieu, le médecin, le malade, les autres personnes présentes...

▷ Quelles sont les différences avec une opération moderne ?

Les progrès scientifiques

Les hommes de la Renaissance pensaient que la Terre était le centre de l'Univers et que le Soleil et les étoiles tournaient autour d'elle. Vers 1505, l'astronome polonais Copernic comprit que la Terre tourne sur elle-même et autour du Soleil. L'Église catholique s'opposa à cette idée car elle ne correspondait pas à ce que dit la Bible (doc. 3). En anatomie, l'observation permit de mieux connaître le corps humain. Ambroise Paré, méde-cin français, fit progresser la chirurgie en fermant les artères pour empêcher les hémorragies lors des amputations (doc. 3).

LEXIQUE

● **l'anatomie** : la science qui étudie le corps humain.

● **l'astronomie** : la science qui étudie la position et le mouvement des astres dans l'Univers.

▷ Trouve sur la chronologie H à quelle époque le protestantisme a été fondé.

▷ Décris le clergé catholique (à gauche) et les protestants (à droite).

▷ Que mettent-ils chacun sur les plateaux de la balance ? De quel côté la balance penche-t-elle ?

▷ Quel est le message de cette gravure ? À ton avis, a-t-elle été faite par un catholique ou par un protestant ?

La naissance du protestantisme

À la fin du Moyen Âge, l'Église traversa une période de crise. D'une part, l'époque avait été marquée par des famines, des épidémies et la guerre de Cent Ans dont les chrétiens pensaient qu'elles étaient des punitions envoyées par Dieu pour les punir de leurs erreurs. D'autre part, beaucoup ressentaient le décalage entre la vie luxueuse menée par le haut clergé et la vie simple et généreuse préconisée par les Évangiles.

Au XVIᵉ siècle, un moine allemand, Martin Luther, se mit à prôner un christianisme plus authentique. Il rejetait l'autorité du pape, voulait que le clergé joue un rôle moins important, que les croyants lisent régulièrement la Bible et qu'ils aient une relation directe avec Dieu (doc. 1). Ses idées se répandirent en Allemagne et en Europe du Nord. En France, la Réforme fut l'œuvre de Jean Calvin. Les chrétiens se divisèrent alors entre la nouvelle Église « protestante » (l'Église réformée) et l'Église « catholique », fidèle au pape.

2 Les guerres de Religion : le massacre de la Saint-Barthélemy

François Dubois, *Le Massacre de la Saint-Barthélemy* le 24 août 1572, tableau de 1582

Dans la nuit du 23 au 24 août 1572, lors de la nuit de la Saint-Barthélemy, le roi de France, Charles IX, commanda que l'on massacre les nobles protestants. Des dizaines de milliers de personnes périrent.

Ordre du roi. Nous permettrons à ceux de la Religion Réformée de vivre et demeurer par toutes les villes et lieux de notre royaume sans être combattus, brutalisés, ni obligés de faire des choses contre leur conscience. L'exercice de la religion pourra se faire publiquement. Nous défendons à tous nos sujets d'enlever par la force, contre le gré de leurs parents, les enfants de religion protestante pour les faire baptiser dans l'Église catholique.

D'après l'Édit de Nantes, 1598

▷ Décris la scène.
▶ En quoi l'intolérance religieuse est-elle condamnable ?

← 3 Les guerres de Religion : l'édit de Nantes

▷ À qui cet édit accordait-il des droits ?
Quels droits accordait-il ?
▷ D'après la chronologie H quel roi était au pouvoir ?

Les guerres de Religion

En réaction à la naissance du protestantisme, l'Église catholique renforça l'autorité du pape et se montra hostile à toutes les autres religions. En 1492, le roi d'Espagne fit expulser les Juifs et les musulmans de son royaume. En France, les catholiques, majoritaires et soutenus par le roi, affrontèrent les protestants dans une guerre civile qui dura de 1562 à 1589 (doc. 2 et chronologie H). En 1598, le roi Henri IV, protestant qui avait été obligé de se convertir au catholicisme pour être couronné, rétablit l'ordre. Par l'édit de Nantes en 1598, il autorisa les protestants à pratiquer leur religion (doc. 3).

LEXIQUE

- **un édit** : une loi décidée par le roi seul.
- **le protestantisme** : la religion chrétienne née de la Réforme.

45 La monarchie absolue XVIIᵉ-XVIIIᵉ siècle

▽ 1 L'autorité royale restaurée Henri Paul Motte, *Le Siège de La Rochelle*, 1881

Grand port de commerce, La Rochelle était aux mains des protestants en révolte contre le roi.
En 1627, Richelieu, Premier ministre de Louis XIII, organisa le siège de la ville et en reprit le contrôle.

▷ Décris la scène : le port, les bateaux, les personnes.

▶ Ce tableau est-il une source de l'histoire ?

▷ Lis le texte et explique ce que Richelieu a fait pour imposer l'autorité du roi.

Lettre. Votre Majesté, lorsque vous avez décidé de me prendre comme conseiller et confident pour la direction de vos affaires, vous étiez obligé de partager l'État avec les protestants. Les nobles se conduisaient comme s'ils n'avaient pas été vos sujets. Les alliances étrangères étaient méprisées. Je vous ai promis d'employer toute l'autorité que vous me donneriez pour ruiner les protestants, rabaisser l'orgueil des nobles, réduire les sujets en leur devoir et relever le nom de la France dans les nations étrangères.

D'après le cardinal de Richelieu, 1638

L'autorité royale restaurée

Au début du XVIIᵉ siècle, la France a été dirigée par Henri IV puis par Louis XIII et son ministre, le cardinal de Richelieu. En 1643, Louis XIV n'ayant que cinq ans, sa mère, Anne d'Autriche, et le cardinal de Mazarin assumèrent le pouvoir. Les uns et les autres s'employèrent à renforcer le pouvoir royal en ramenant à l'obéissance ceux des nobles et des protestants qui contestaient l'autorité du roi (doc. 1 et chronologie J).

Louis XIV, le Roi-Soleil

À partir de 1661, Louis XIV, devenu adulte, assuma le pouvoir et établit une monarchie absolue de droit divin : il affirmait que son autorité venait de Dieu et imposa à ses sujets une totale obéissance (doc. 2). Pour réduire l'influence des nobles, il les invita à mener une vie oisive à la Cour et choisit ses ministres dans la bourgeoisie. En 1685, il interdit la religion protestante en révoquant l'édit de Nantes : les protestants furent de nouveau persécutés.

2 Louis XIV, le Roi-Soleil

Hyacinthe Rigaud, *Louis XIV roi de France*, 1701

▷ Décris l'habillement, la coiffure et l'attitude de Louis XIV.
▷ Repère les différents symboles de la royauté française :
l'épée de Charlemagne, le sceptre d'Henri IV, la couronne,
la main de justice, le manteau brodé de fleurs de lys,
le grand collier de chef de la noblesse.

Lettre. Toute puissance, toute autorité réside dans la main du roi. Les rois sont seigneurs absolus. Mon intention n'est pas de partager mon autorité. Dieu, qui a donné des rois aux hommes, a voulu qu'on les respecte et Lui seul peut juger leur conduite. Sa volonté est que quiconque obéisse sans discuter. La tête seule doit penser et prendre les décisions. Les autres membres ne sont là que pour exécuter les ordres.

Louis XIV, 1661

▷ Comment Louis XIV veut-il gouverner ?
▷ Retrouve les deux arguments qu'il emploie pour justifier son pouvoir absolu.
▷ À ton avis, pourquoi Louis XIV se faisait-il appeler le « Roi-Soleil » ?

↓ 3 La grandeur de la France

Témoignage d'un voyageur italien. Le gouvernement français veut rendre le pays supérieur à tout autre en richesses, abondant en marchandises, n'ayant besoin de rien. Ce qui se fabrique en Angleterre, le gouvernement cherche à l'importer en France. Pour la fabrication de certains produits, on est allé jusqu'à installer les ouvriers dans un véritable palais. Ce qu'il y a de mieux dans toutes les parties du monde se fabrique à présent en France. Et de toutes parts, les commandes affluent.

D'après M.A. Giustiniani, XVIIᵉ siècle

▷ Quel était le but de Louis XIV ?
▷ Qu'a fait le gouvernement pour y parvenir ?
▷ Relève les mots qui indiquent que l'auteur semble ébloui par le résultat.

La grandeur de la France

Durant son long règne (1643-1715), Louis XIV fit de la France un puissant royaume. L'armée conquit de nouvelles régions (carte 18). Le roi chargea le ministre Vauban de fortifier les frontières du pays et certaines villes et confia à Colbert, autre ministre, le soin de développer les manufactures (tissus, armes…) et le commerce. La France était alors le royaume le plus puissant, le plus vaste, le plus peuplé et l'un des plus riches d'Europe (doc. 3).

Le château de Versailles

En 1661, Louis XIV décida de se faire construire un magnifique palais à Versailles. Les travaux durèrent quarante années et employèrent jusqu'à 40 000 ouvriers.

Le château possède un immense parc, orné de statues, de fontaines, de jets d'eau, avec une orangerie et une ménagerie.

Le gouvernement occupait l'aile nord.

La chapelle fut achevée en 1710.

Les appartements du roi comportaient sa chambre et de nombreux salons.

▷ Décris ce château et son parc. Quelle impression s'en dégage ?

▷ Compare ce château à celui de Bonaguil pp. 78-79 et à celui de Chambord pp. 116-117.

▷ Quels éléments montrent que le château de Versailles n'a pas été construit pour résister aux attaques ?

▷ Sur la carte 18, situe Versailles. Près de quelle grande ville Versailles se trouve-t-il ?

▷ À ton avis, qui sont les gens que l'on voit sur cette photographie ?

Longue de 73 mètres, la galerie des Glaces servait de salle du Trône, de pièce de réception, de salle de bal et de point de rendez-vous.

Le gigantesque château comportait d'innombrables chambres qui pouvaient abriter des milliers d'invités.

1 L'intérêt pour la science : la montgolfière

La première montgolfière le 19 septembre 1783 à Versailles, gravure, 1783

▷ Décris cette scène.
▷ Par quel procédé cette montgolfière s'élève-t-elle ?
▷ Pourquoi la foule est-elle enthousiaste ?

2 L'intérêt pour la science : L'*Encyclopédie*

Article d'une encyclopédie. Le but d'une Encyclopédie est de rassembler les connaissances éparses sur la surface de la Terre ; d'en exposer le système général aux hommes avec qui nous vivons, et de le transmettre aux hommes qui viendront après nous ; afin que les travaux des siècles passés n'aient pas été des travaux inutiles pour les siècles qui succéderont ; que nos neveux, deviennent plus instruits et plus heureux, et que nous ne mourions pas sans avoir fait quelque chose pour l'humanité. Il faut tout examiner, tout remuer sans exception et sans ménagement. Il faut piétiner les vieilles idées, refuser tout ce qui n'est pas prouvé, rendre aux sciences et aux arts une liberté précieuse.

D'après L'*Encyclopédie*, volume paru en 1750

▷ Quel était l'objectif des auteurs de l'*Encyclopédie* ?
▷ Cherche sur la chronologie J qui était le roi à l'époque de ce texte.

L'intérêt pour la science

Tout au long du XVIIIᵉ siècle, un véritable intérêt pour les techniques se développa et la science réalisa d'importants progrès avec, notamment, l'invention du paratonnerre par Benjamin Franklin (1752), celle de la machine à vapeur par James Watt (1763) et celle du premier engin volant par les frères Montgolfier (1783) (doc. 1). De 1751 à 1772, sous l'impulsion de Denis Diderot, des savants et des philosophes rédigèrent la première *Encyclopédie*, rassemblant l'ensemble des connaissances de l'époque (doc. 2).

Les débuts de l'industrie

L'*Encyclopédie* contribua à la diffusion des techniques nouvelles. À cette époque, on a commencé à utiliser non plus seulement la force humaine mais des machines à vapeur pour exploiter les premières mines de charbon et faire fonctionner les premières industries (travail de la fonte, production de tissus) (doc. 3). Leurs productions furent stimulées par le développement du commerce : à l'intérieur du pays avec la construction de routes et de ponts, et à l'extérieur, avec un nouvel essor du commerce maritime (p. 106).

→ 3 Les débuts de l'industrie

Fabrique de métaux, gravure, L'*Encyclopédie*, 1751-1772

▷ Décris cette scène : le lieu, le matériel, les ouvriers...

▷ Quelle activité est présentée sur cette gravure ?

▷ À ton avis, pourquoi les auteurs de L'*Encyclopédie* ont-ils donné ces précisions sur le fonctionnement des machines ?

↓ 4 Un meilleur niveau de vie

Article d'une encyclopédie. Cette plante est cultivée dans plusieurs provinces du royaume. Les paysans font leur nourriture ordinaire de la racine de cette plante pendant une bonne partie de l'année, ils la font cuire à l'eau, au four, sous la cendre et ils en préparent des ragoûts. Les personnes aisées l'accommodent avec du beurre, la mangent avec de la viande, en font des beignets, etc. Cette racine, de quelque manière qu'on l'apprête, est fade et farineuse mais elle fournit un aliment abondant et salutaire.

D'après L'*Encyclopédie*, volume paru en 1765

▷ En quoi la pomme de terre, rapportée d'Amérique, a-t-elle aidé la population à mieux se nourrir ?

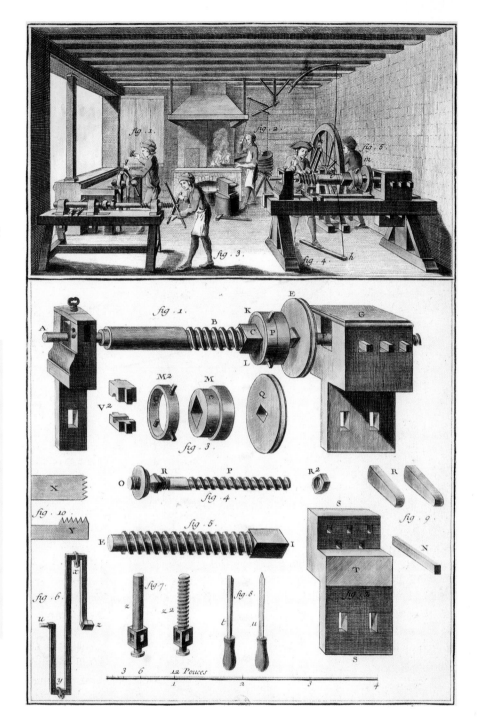

Un meilleur niveau de vie

Les progrès économiques du XVIIIe siècle entraînèrent une amélioration des conditions de vie de la population. L'industrie fournit de nouveaux emplois. Dans les campagnes, de nouvelles cultures, comme la pomme de terre rapportée d'Amérique, permirent de mieux nourrir la population (doc. 4). Des récoltes plus abondantes permirent à la France de connaître, au XVIIIe siècle, une période de prospérité. Mais les progrès étaient encore fragiles, les rendements agricoles faibles et les productions incertaines.

47 La société française sous la monarchie absolue XVIIIᵉ siècle

1 La misère du peuple Sébastien Bourdon, *Scène d'intérieur*, XVIIᵉ siècle

▷ Décris ce tableau : la pièce, les meubles, les personnes, leur habillement, leur attitude…

▷ Quels éléments de ce tableau témoignent de la misère du peuple ?

▶ Compare la situation de ces personnes à celle des privilégiés p. 129.

▷ Lis le texte et explique-le avec tes propres mots.

Texte d'écrivain. Votre peuple meurt de faim, la culture des terres est abandonnée, les villes et les campagnes se dépeuplent. Au lieu de tirer de l'argent de ce pauvre peuple, il faudrait lui faire l'aumône et le nourrir. Il est plein de désespoir. La France entière n'est plus qu'un grand hôpital désolé et sans provisions. La révolte s'allume peu à peu.

D'après Fénelon à Louis XIV, vers 1700

Les trois ordres de la société

Comme au Moyen Âge, la société française était divisée en trois ordres (doc. 2) :
– le peuple, composé essentiellement de paysans mais aussi, en nombre croissant, de citadins (artisans, bourgeois…) ;
– la noblesse, composée des personnes nées dans des familles nobles et d'anciens bourgeois (riches commerçants, armateurs, banquiers) anoblis par le roi ;
– le clergé (prêtres, évêques, moines et religieuses…).

La misère du peuple

Au XVIIᵉ et au XVIIIᵉ siècle, la grande majorité des Français vivait dans la pauvreté (doc. 1). Les paysans cultivaient de petites parcelles de terre leur permettant à peine de subvenir à leurs besoins, et les artisans avaient de maigres revenus. Ils payaient de si lourds impôts au roi, aux nobles et à l'Église, que beaucoup se retrouvaient dans la misère, condamnés à errer et à mendier. À plusieurs reprises, le peuple souffrit de la famine et il y eut des révoltes, violemment réprimées par l'armée.

→ 2 Les trois ordres de la société

▷ Quels sont les trois ordres de la société ?

▷ Compare ce texte à celui de la page 71 : en quoi la société française du XVIIIe siècle ressemble-t-elle à celle du Moyen Âge ?

Texte écrit par un juriste. Les souverains commandent à tous. Quant au peuple qui obéit, on le divise en trois ordres. Les uns se consacrent au service de Dieu, les autres à protéger l'État par les armes, les autres à le nourrir. Ce sont les trois ordres ou états généraux.

D'après **Charles Loyseau**, début du XVIIe siècle

↓ 3 La vie des privilégiés Jean-Baptiste Charpentier, *La Tasse de chocolat*, 1768

▷ Décris cette scène : le salon, les meubles, les personnes, leur habillement, leurs coiffures, leurs attitudes précieuses...

▷ Quels éléments montrent la richesse de ces personnes ? leur oisiveté ?

La vie des privilégiés

Au XVIIe et au XVIIIe siècle, la noblesse et le clergé bénéficiaient d'importants privilèges : ils ne payaient pas le principal impôt, la taille, et n'obéissaient pas aux mêmes lois que le peuple. La haute noblesse et le grand clergé (évêques, abbés) possédaient d'immenses domaines, exerçaient de hautes fonctions dans l'administration et menaient une existence luxueuse et oisive à la Cour (doc. 3). En revanche, la petite noblesse, les prêtres de campagne et les moines vivaient très simplement.

1 Les philosophes des Lumières

Texte de philosophe. Il y a dans chaque État trois sortes de pouvoirs : le pouvoir législatif (faire les lois), le pouvoir exécutif (faire exécuter les lois) et le pouvoir de juger (juger ceux qui ne respectent pas les lois). Lorsque le pouvoir législatif est réuni au pouvoir exécutif, dans la ou les mêmes personnes, il n'y a pas de liberté. On peut craindre que le même monarque ou la même assemblée ne fasse des lois tyranniques pour les appliquer tyranniquement.

D'après Montesquieu, *De l'esprit des lois*, 1748.

Texte de philosophe. Ce n'est plus aux hommes que je m'adresse ; c'est à toi, Dieu de tous les êtres, de tous les mondes, de tous les temps. Tu ne nous as pas donné un cœur pour nous haïr et des mains pour nous égorger. Fais que nous nous aidions mutuellement à supporter le fardeau d'une vie pénible et passagère. Que toutes ces petites nuances qui distinguent les hommes ne soient pas des signaux de haine et de persécution.

D'après Voltaire, *Traité sur la tolérance*, 1763

Texte de philosophe. Aucun homme n'a reçu de la Nature le droit de commander aux autres. La liberté est un cadeau du Ciel, et chaque individu a le droit d'en jouir. Le roi tient son autorité de ses sujets et cette autorité est limitée par les lois de la nature et de l'État. Le roi ne peut donc pas disposer de son pouvoir et de ses sujets sans le consentement du peuple. La puissance qui s'acquiert par la violence n'est qu'une usurpation : c'est la loi du plus fort.

D'après Denis Diderot, *L'Encyclopédie*, 1751-1772

Caricature d'un paysan portant un haut membre du clergé et un noble, estampe en couleur, XVIIIe siècle
Cette caricature représente les trois ordres : la noblesse, le clergé et le peuple.

▷ Quel ordre chaque personnage représente-t-il ?
▷ Quels éléments de leur vêtement ou de leur équipement permettent de les reconnaître ?
▶ Pourquoi l'un des trois personnages porte-t-il les deux autres sur son dos ?
▷ Quelles idées sont développées, dans chacun de ces textes, par les philosophes des Lumières ?
▶ À ton avis, comment le roi de l'époque a-t-il réagi ?

Les philosophes des Lumières

Le XVIIIe siècle fut marqué par des idées nouvelles, notamment par une aspiration à la liberté. Les philosophes (Voltaire, Rousseau, Montesquieu…) condamnaient l'intolérance, critiquaient la monarchie absolue de droit divin et les privilèges excessifs de la noblesse et du clergé, et proposaient de nouveaux modèles de société dans lesquels tous les hommes seraient libres et égaux (doc. 1).

Ce mouvement est appelé la « philosophie des Lumières », car les philosophes de cette époque s'étaient donné pour objectif d'« éclairer » le plus grand nombre de gens sur la manière de vivre heureux et de fonder une société juste.

La diffusion des idées

Les idées des Lumières ont été diffusées dans toute l'Europe, grâce aux nombreuses rencontres entre les

2 La diffusion des idées Un café et un colporteur, gravures, XVIIIe siècle

Les idées des Lumières se sont diffusées en France grâce aux cafés, dans lesquels les hommes se retrouvaient pour discuter (les cafés étaient alors interdits aux femmes), et grâce aux colporteurs qui vendaient des livres et des journaux à ceux qui savaient lire, un peu partout, jusque dans les campagnes.

▷ Décris cette scène dans ce café.
▷ Décris ce colporteur et ce qu'il vend.
▷ Comment, de nos jours, les idées nouvelles se diffusent-elles ?

▷ Quelle est la nature de ce texte ?
▷ Quelles idées émises ici sont celles des philosophes des Lumières ?

Texte de loi. Tous les hommes sont créés égaux. Ils ont des droits que nul ne peut leur retirer, parmi lesquels le droit à la vie, le droit à la liberté, le droit de rechercher le bonheur. Pour garantir ces droits, les hommes mettent en place des gouvernements, dont le pouvoir existe parce qu'il leur a été confié. Chaque fois qu'un gouvernement menace les droits des hommes, le peuple a le droit de changer de gouvernement. Lorsque le gouvernement abuse de son pouvoir et cherche à avoir un pouvoir absolu, leur peuple a le droit, il a le devoir de renverser le gouvernement. En conséquence, nous, représentants des États-Unis d'Amérique, affirmons et déclarons solennellement que les colonies unies sont et doivent être des États libres et indépendants.

D'après la **Déclaration d'indépendance des États-Unis d'Amérique**, 4 juillet 1776

penseurs et les hommes de leur temps, notamment dans des salons littéraires et des cafés, mais aussi, dans la population, grâce aux livres et aux journaux, vendus un peu partout par des colporteurs (doc. 2). Ces idées ont atteint l'Amérique du Nord : en 1783, à l'occasion de leur indépendance, les États-Unis d'Amérique, anciennes colonies anglaises, adoptèrent une Constitution inspirée des idées des Lumières et mirent en place un régime démocratique (doc. 2).

LEXIQUE

● **une colonie** : un territoire dominé par un pays qui en exploite les richesses.
● **un colporteur** : un marchand ambulant.
● **une Constitution** : une loi fondamentale qui organise le pouvoir.
● **un régime démocratique** : une organisation de la société dans laquelle le pouvoir appartient au peuple, qui s'exprime par le vote.

⬇ 1 Le mécontentement

Cahier de doléances. Sire, nous sommes accablés d'impôts ; nous vous avons donné une partie de notre pain, et il va bientôt nous manquer. Si vous voyiez les pauvres chaumières que nous habitons, la pauvre nourriture que nous prenons, vous en seriez touché. Cela vous dirait mieux que nos paroles que nous n'en pouvons plus et qu'il faut diminuer nos impôts. Ce qui nous fait bien de la peine, c'est que ceux qui ont le plus de biens paient le moins. Nous payons la taille, et le clergé et la noblesse rien de tout cela. Pourquoi donc est-ce que ce sont les riches qui paient le moins et les pauvres qui paient le plus ? Est-ce que chacun ne doit pas payer selon son pouvoir ? Sire, nous vous demandons que ce soit ainsi, parce que c'est juste.

Les paysans de Culmont, 1789

▷ De quoi ces paysans se plaignent-ils ? Que réclament-ils ?

▷ À qui s'adressent-ils ?

▷ Leurs idées ressemblent-elles à celles des Lumières ?

⬇ 2 La réunion des états généraux

Jacques-Louis David, *Le Serment du Jeu de paume, le 20 juin 1789*, 1789

Le 20 juin 1789, les représentants du tiers état et des représentants de la noblesse et du clergé prêtèrent serment dans la salle du Jeu de paume, au château de Versailles : ils s'engagèrent à ne pas se séparer sans avoir mis fin à la monarchie absolue.

▷ Décris cette scène : le lieu, les personnes, les vêtements, les attitudes…

▷ Quelle est l'atmosphère de cette réunion ?

▷ En quoi ce serment du Jeu de paume est-il un événement essentiel dans l'histoire de France ?

Le mécontentement

À la fin du XVIIIᵉ siècle, de mauvaises récoltes provoquèrent une hausse du prix du pain, aliment de base de la population, et mirent fin à la prospérité en France. Le mécontentement grandit. En 1789, le roi Louis XVI convoqua les états généraux pour recueillir l'avis des Français sur la situation économique, le fonctionnement du pouvoir, les impôts, la justice, les privilèges… Un peu partout, les membres des différents ordres rédigèrent des cahiers de doléances dans lesquels ils exprimaient au roi leurs critiques et leurs souhaits (doc. 1).

La réunion des états généraux

Les états généraux se réunirent le 5 mai 1789. Les représentants du tiers état, les plus nombreux, furent déçus : le vote se faisait avec une voix par ordre et non une voix par représentant, si bien que le tiers état se trouvait en minorité face au clergé et à la noblesse ; en outre, le roi refusa toute discussion sur les réformes demandées dans les cahiers de doléances. Le 20 juin 1789, les représentants du tiers état, constitués en Assemblée nationale, s'engagèrent à ne pas se séparer sans avoir donné une Constitution à la France (doc. 2).

3 **La Révolution** La prise de la Bastille le 14 juillet 1789, fin XVIIIe siècle

Le 14 juillet, le peuple de Paris révolté prit d'assaut la prison de la Bastille, dans l'espoir d'y trouver des armes, et la détruisit car elle était le symbole du pouvoir royal (le roi pouvait y emprisonner qui il voulait).

Le peuple de Paris arrive, armé de piques et traînant des canons.

Les soldats chargés de garder la Bastille tirent sur les assaillants.

Le peuple arrête le gouverneur de la prison.

▷ Décris la scène : la prison, les autres bâtiments, les personnes présentes, les armes...

▶ En quoi cette prison était-elle le symbole de la monarchie absolue ?

La Révolution

Louis XVI tenta de rétablir son pouvoir en rassemblant l'armée. Aussitôt, le peuple de Paris se révolta et, le 14 juillet 1789, s'empara de la prison de la Bastille dans l'espoir d'y trouver des armes pour se défendre (doc. 3 et chronologie J). Le mouvement de révolte se répandit dans toute la France. Dans les campagnes, les paysans, inquiets et affamés, attaquèrent des châteaux. Le 4 août, l'Assemblée nationale vota l'abolition des privilèges. Le 26 août, elle adopta la Déclaration des droits de l'homme et du citoyen (pp. 134-135).

LEXIQUE

● **l'abolition** : la suppression, l'annulation.

● **l'Assemblée nationale** : l'assemblée composée des représentants du peuple français.

● **une doléance** : une plainte, une réclamation.

● **les états généraux** : la réunion de représentants des trois ordres convoqués par le roi de France.

● **le tiers état** : tous ceux qui ne sont membres ni de la noblesse ni du clergé.

La Déclaration des droits de l'homme et du citoyen 1789

➔ 1 Le tableau de la Déclaration des droits de l'homme et du citoyen

Tableau de 1791

▷ Sur le tableau, repère les éléments suivants :
– une femme brisant les chaînes qui empêchaient la France d'être libre ;
– une autre tenant le sceptre, symbole du pouvoir ;
– le bonnet phrygien, rouge, symbole des révolutionnaires ;
– la date à laquelle l'Assemblée nationale a voté la Déclaration des droits de l'homme et du citoyen ;
– la lumière symbolisant la philosophie des Lumières ;
– l'ancien mot utilisé pour désigner les Français.

➔ 2 Quelques articles de la Déclaration

Article 1

▷ Explique l'article 1.

▶ Donne un exemple pour expliquer ce qu'est la liberté ; un autre pour expliquer ce qu'est l'égalité.

▶ En quoi ces droits sont-ils nouveaux par rapport à la période de la monarchie absolue ?

Article 2

▶ Donne un exemple pour expliquer chacun des droits cités par l'article 2.

Article 3

▶ En quoi l'article 3 limite-t-il le pouvoir du roi ?

Article 4

▷ Explique l'article 4.

▶ Donne un exemple de liberté que tu n'as pas car elle peut nuire aux autres.

Article 6

▶ Trouve un exemple qui montre qu'il est important que la loi traite de la même manière tous les citoyens.

Article 7

▶ Selon l'article 7, le roi peut-il encore emprisonner les gens qui lui sont opposés ? Justifie ta réponse.

Article 10

▶ Quel édit avait accordé la liberté religieuse aux protestants ? Était-il encore en vigueur avant la Révolution ?

▶ Pour quelles autres opinions une personne ne peut-elle pas être inquiétée ?

Article 11

▶ Donne un exemple pour expliquer ce qu'est la liberté de communiquer.

Article 13

▶ Quel privilège est aboli par l'article 13 ?

La Déclaration

▶ Fais le point de tous les aspects de l'Ancien Régime que cette Déclaration abolit.

▶ Lequel de tous ces droits te paraît le plus important ? Justifie ta réponse.

LEXIQUE

• **l'Ancien Régime** : la monarchie absolue, par opposition au régime mis en place par la Révolution française.

• **un citoyen** : une personne qui a des droits et des devoirs par rapport à l'État.

DÉCLARATION
DES DROITS DE L'HOMME
ET DU CITOYEN,
Décretés par l'Assemblée Nationale dans les séances des 20,21
23,24 et 26 août 1789, acceptés par le Roi

Article 1
Les hommes naissent et demeurent libres et égaux en droits.

Article 2
Les droits de l'homme sont : la liberté, la propriété, la sécurité
et la résistance à l'oppression.

Article 3
Personne ne peut exercer d'autorité si elle ne lui a pas été confiée
par la nation.

Article 4
La liberté consiste à faire tout ce qui ne nuit pas aux autres.

Article 6
Tous les citoyens sont égaux devant la loi.

Article 7
Personne ne peut être accusé, arrêté ou emprisonné, sauf dans
les cas prévus par la loi.

Article 10
Personne ne peut être inquiété pour ses opinions, même religieuses.

Article 11
La liberté de communiquer est l'un des droits les plus précieux
de l'homme. Tout citoyen peut donc parler et écrire librement.

Article 13
L'impôt doit être réparti entre tous les citoyens, en fonction
de leur richesse.

AUX REPRESENTANS DU PEUPLE FRANCOIS

50 La République 1792

1 La fin de la monarchie : la Constitution

Texte de loi. La souveraineté appartient à la Nation ; aucune section du peuple, ni aucun individu, ne peut s'en attribuer l'exercice. Le pouvoir législatif est délégué à une Assemblée nationale composée de représentants temporaires, librement élus par le peuple. Le pouvoir exécutif est délégué au roi. Le pouvoir judiciaire est délégué à des juges élus par le peuple. Il n'y a point d'autorité supérieure à celle de la loi. Le roi ne règne que par elle, et ce n'est qu'au nom de la loi qu'il peut exiger l'obéissance.

D'après la Constitution de 1791

▶ Relève un à un les éléments qui empêchent le pouvoir absolu du roi.

2 La fin de la monarchie : l'exécution de Louis XVI

Gravure, XVIIIᵉ siècle

Les opposants à la Révolution étaient exécutés sur la place de la Révolution à Paris (actuelle place de la Concorde). On utilisait pour cela une guillotine, machine composée d'une lame suspendue qui tranchait la tête du condamné.

▶ Décris la scène : l'estrade, la guillotine, le bourreau, le corps du roi, la personne qui présente sa tête à la foule, celles qui assistent à l'exécution...

▶ Pourquoi la foule assiste-t-elle à l'exécution de Louis XVI ?

▶ À ton avis, pourquoi a-t-on décidé d'exécuter Louis XVI ?

La fin de la monarchie

En 1791, la Constitution rédigée par l'Assemblée nationale instaura une monarchie constitutionnelle avec un partage des pouvoirs (doc. 1) :
– une Assemblée nationale élue par une partie de la population votait les lois ;
– le roi nommait les ministres et pouvait s'opposer aux lois ;
– des juges élus rendaient la justice.
Le peuple suspectait Louis XVI de vouloir s'opposer à la Révolution et de comploter avec les monarchies étrangères pour rétablir son autorité sur le pays. En 1792, il fut arrêté avec toute sa famille. Le 21 septembre, l'Assemblée proclama la République (chronologie J). Louis XVI fut condamné à mort pour trahison envers la patrie et guillotiné (doc. 2). Les députés espéraient ainsi raffermir la république et consolider les acquis de la Révolution.

Les guerres de la Révolution

La France était en désaccord avec les monarchies d'Europe et souhaitait étendre la Révolution aux pays voisins. À partir de 1792, elle entra en guerre contre l'Autriche et la Prusse (carte 19). D'abord

 3 Les guerres de la Révolution

Jean-Baptiste Mauzaisse (1784-1844), *La Bataille de Fleurus* le 26 juin 1794, 1837

▷ Décris cette bataille : le lieu, les soldats, leur uniforme, leurs armes, les chevaux, l'impression générale…

▶ En quoi cette bataille est-elle différente de celles du Moyen Âge (p. 98 et p. 102) ?

Composée en 1792 par Rouget de Lisle, *La Marseillaise* était un chant de guerre destiné à encourager les soldats au combat contre l'Autriche et la Prusse. Au XIXe siècle, il est devenu l'hymne national de la France.

▶ Cherche les paroles de ce chant et explique-les en rapport avec la Révolution et la guerre de l'époque.

victorieuse, l'armée française fut ensuite repoussée. Inquiets de l'avancée des ennemis qui marchaient sur Paris, les députés lancèrent un appel. 300 000 volontaires rejoignirent le champ de bataille et arrêtèrent l'invasion étrangère. Cette période marque le début de la constitution d'un armée nationale (doc. 3).

La France se trouvait également en proie à des combats à l'intérieur du pays : dans plusieurs régions, notamment en Vendée, des partisans de la royauté, soutenus par des nobles qui avaient émigré, avaient pris les armes dans l'espoir de mettre fin à la Révolution (carte 19).

LEXIQUE

● **comploter** : préparer en secret une action contre quelqu'un.

● **un député** : une personne élue pour représenter un groupe de gens dans une assemblée.

● **émigrer** : parti à l'étranger pour y vivre.

● **guillotiner** : couper la tête à l'aide d'une guillotine.

● **une monarchie constitutionnelle** : une monarchie dans laquelle la Constitution limite le pouvoir du roi.

● **une république** : un régime politique dans lequel le pouvoir n'est pas héréditaire.

Les femmes sous la Révolution

Considérées comme dépourvues de raison et traitées comme des êtres inférieurs par les hommes, les femmes ont pourtant activement participé à la Révolution.

1 Les femmes marginalisées

Lesueur, *Citoyennes de Paris offrant leurs bijoux*, XVIIIe siècle

Les femmes n'ont eu que très peu le droit de participer aux cahiers de doléances et elles n'étaient pas autorisées à participer aux débats dans les cafés, les clubs...

Ici, des femmes apportent leurs bijoux pour payer les travaux de l'Assemblée nationale chargée de rédiger la Constitution.

▷ Décris la scène : le lieu, les personnes présentes, ce qu'elles font...

▷ À ton avis, la non-participation des femmes aux débats a-t-elle été positive pour la Révolution ?

2 Les femmes exclues

Jean-François Janinet, *Les femmes de Versailles à l'Assemblée nationale* le 5 octobre 1789, dessin de la fin du XVIIIe siècle

Les femmes ne participaient pas aux élections et n'étaient ni représentées ni entendues à l'Assemblée nationale. Le 10 août 1792, plusieurs femmes entrèrent à l'Assemblée et demandèrent l'élection d'une nouvelle assemblée par tous les Français. Elles ne furent pas entendues : le droit de vote demeura réservé aux hommes.

▷ Décris cette scène : le lieu, les femmes et leur attitude, les hommes et leur attitude...

▷ Sais-tu depuis quand les femmes ont le droit de voter en France ?

↑ 3 Les femmes actives Lesueur, *La Marche des femmes sur Versailles*, XVIIIᵉ siècle

Avant la Révolution, les femmes s'étaient plusieurs fois fait entendre en organisant des défilés et des émeutes auxquels elles se rendaient, armées de fourches et d'ustensiles de cuisine. Elles étaient également présentes lors de la prise de la Bastille, le 14 juillet 1789. Le 5 octobre 1789, ce sont elles qui ont été chercher Louis XVI et l'Assemblée à Versailles pour les obliger à s'installer à Paris.

▷ Décris cette représentation des femmes allant chercher le roi et l'Assemblée à Versailles, puis celles de la couverture de ton manuel (extrait du film de Robert Enrico, *La Révolution française, les années lumières*, film de 1989). Quelle impression s'en dégage ?

▷ Quel rôle les femmes ont-elles joué dans le succès de la Révolution française ?

↓ 4 Les premières revendications

Texte de philosophe. Les révolutionnaires n'ont-ils pas violé le principe de l'égalité des droits en privant tranquillement la moitié du genre humain de celui de participer à la formation des lois, en excluant les femmes ? Les hommes éclairés ont défendu le principe de l'égalité des droits en faveur des hommes en oubliant les douze millions de femmes. Or personne n'a pu prouver que les droits naturels des femmes ne sont pas absolument les mêmes que ceux des hommes, ni montrer qu'elles ne sont pas capables de les exercer. Les hommes ont des droits parce qu'ils sont des êtres sensibles, capables d'avoir des idées morales et de raisonner. Les femmes ayant ces mêmes qualités, elles ont nécessairement les mêmes droits.

D'après Condorcet, « Sur l'admission des femmes au droit de cité », *Journal de la société de 1789*, juillet 1790

Déclaration d'une écrivaine.

Article 1. La femme naît libre et demeure égale à l'homme en droits.

Article 4. La femme ne peut pas exercer ses droits du fait de la tyrannie perpétuelle de l'homme ; cette situation doit changer.

Article 6. La loi doit être l'expression de la volonté de tous, citoyennes et citoyens ; elle doit être la même pour tous.

Article 10. Si la femme peut être condamnée à mort, elle peut également être élue.

Article 16. La Constitution est nulle, si la majorité des individus qui composent la Nation n'a pas participé à sa rédaction.

Olympe de Gouges, Déclaration des droits de la femme et de la citoyenne, 1791

▷ Explique ce que réclament ces deux articles...

▷ Que sais-tu de l'auteur du texte de gauche ?

▷ Compare le texte de droite à la Déclaration des droits de l'homme et du citoyen (p. 135).

51 La Terreur 1793-1794

↓ 1 La dictature de la Terreur

▷ D'après ce texte, qui était suspect ?

▷ En quoi ce texte contredit-il la Déclaration des droits de l'homme et du citoyen ?

Béricourt, Terreur de l'an II, XVIIIᵉ siècle

▷ Décris la scène ci-dessous.

Décision prise par le pouvoir. Sont réputés suspects ceux qui, soit par leur conduite, soit par leurs relations, soit par leurs propos ou leurs écrits, se sont montrés partisans de la royauté et ennemis de la liberté ; ceux qui ne pourront pas justifier de leurs moyens d'exister ; les nobles qui n'ont pas manifesté leur attachement à la Révolution ; ceux qui ont émigré.

Décret de septembre 1793

La dictature de la Terreur

Les révolutionnaires étaient partagés sur la manière de poursuivre la Révolution. Certains, modérés, s'étaient montrés réservés à propos de l'arrestation et de la mort du roi et souhaitaient appliquer à la lettre les principes de 1789. D'autres, révolutionnaires farouches, appelés « Montagnards », craignaient que les royalistes, aidés par les monarchies européennes, menacent la Révolution et parviennent à rétablir la royauté en France. Ils prônaient donc le rétablissement de l'ordre par la force et une politique ferme pour mettre fin à la menace extérieure.

À partir de 1793, soutenus par la population parisienne, les Montagnards prirent le commandement du pays sous la direction de Robespierre. À l'intérieur du pays, ils imposèrent une dictature sanglante, limitèrent les libertés, matèrent les révoltes et firent arrêter et exécuter des milliers de personnes (doc. 1). Vis-à-vis de l'extérieur, ils enrôlèrent 700 000 hommes dans l'armée, qui refoula les armées étrangères. Cette période sanglante est appelée « la Terreur ».

La fin de la Terreur

▷ Lis le texte et explique
l'exaspération de Vergniaud.

Jean Harriet, *L'Arrestation
de Robespierre*, 1794

Texte d'homme politique. Pour quelques hommes, le patriotisme consiste à tourmenter, à faire verser des larmes. Les citoyens ne regardent plus l'Assemblée sans inquiétude et sans effroi. J'aurais voulu qu'elle fût le centre de toutes les espérances. On cherche à consommer la Révolution par la Terreur ; j'aurais voulu la consommer par amour.

D'après Vergniaud, député, 10 avril 1793

En 1794, les députés firent arrêter Robespierre pour mettre fin à la Terreur.
Celui-ci fut blessé lors de son arrestation, puis guillotiné le lendemain.

▷ Décris cette scène : le lieu, les personnes présentes, l'uniforme des gendarmes, l'action, l'atmosphère…

La fin de la Terreur

La Terreur dura une année (1793-1794). Ses excès exaspérèrent la population et inquiétèrent de nombreux députés, qui craignaient pour leur vie. En 1794, l'Assemblée fit arrêter et exécuter les principaux chefs montagnards, dont Robespierre, et mit fin à la Terreur (doc. 2).
Elle rédigea une nouvelle Constitution qui partageait le pouvoir entre un gouvernement et deux assemblées. Mais les Français commençaient à se lasser des changements.

LEXIQUE

- **une dictature** : le pouvoir total d'un homme ou d'un groupe d'hommes.
- **enrôler** : engager dans l'armée.
- **répressif** : qui limite la liberté.
- **un révolutionnaire** : une personne favorable à la révolution.
- **les royalistes** : les partisans du roi, ceux qui souhaitent son retour.

⬅ 1 Le coup d'État de Napoléon Bonaparte

François Bouchot, *Le Coup d'État du 18 brumaire an VII* (18 décembre 1799), 1840

▷ Décris la scène : le lieu, les personnes, l'atmosphère…

▷ Où se trouve Bonaparte ?

▷ À ton avis, pourquoi Napoléon Bonaparte a-t-il obtenu le soutien d'une grande partie de la population ?

▷ Ce tableau date-t-il de l'époque des événements qu'il représente ? Peut-on considérer qu'il s'agit d'une source historique ?

Le coup d'État puis l'Empire

Après la Terreur, le gouvernement ne parvint pas à rétablir l'ordre ni à mettre fin aux difficultés économiques que traversait la France. Napoléon Bonaparte, un jeune général, populaire du fait de ses nombreuses victoires militaires, s'empara du pouvoir par un coup d'État en 1799 (doc. 1 et chronologie K). Soutenu par les Français, il imposa avec autorité ses décisions. Il restaura la paix intérieure en mettant fin aux insurrections dans l'ouest du pays et rétablit l'ordre, ce qui accrut encore sa popularité et la confiance que le peuple avait en lui. Le 2 décembre 1804, il se fit sacrer empereur sous le nom de Napoléon Iᵉʳ (doc. 2).

La Révolution en question

Napoléon Bonaparte se présenta d'abord comme un défenseur des idées de la Révolution, qu'il consolida. Il fit réviser et rassembler les lois françaises dans le Code civil (1804). Il organisa l'admi-

2 L'Empire

Jean-Auguste Dominique Ingres, *Napoléon en costume d'empereur*, vers 1805

▷ Décris l'habillement, la coiffure et l'attitude de Napoléon.

▷ Repère les différents symboles de l'Empire : la couronne de laurier, le sceptre, la main de justice, le manteau rouge et blanc, l'épée, la légion d'honneur.

▷ Sur la chronologie K, trouve en quelle année Napoléon a été sacré empereur.

▷ Cherche quel autre souverain a été sacré empereur en l'an 800.

▷ Compare ce portrait à celui de Louis XIV p. 123.

3 La Révolution en question

Lettre. Faites appeler les rédacteurs des journaux les plus lus pour leur déclarer que, s'ils continuent sans cesse d'alarmer l'opinion, je les supprimerai ; dites-leur que le temps de la Révolution est fini ; qu'il n'y a plus en France qu'un seul parti ; que je ne permettrai jamais que les journaux disent rien contre moi.

D'après une lettre de Napoléon au ministre de la Police, 1805

▷ En quoi cette décision est-elle opposée aux principes de la Révolution ?

nistration, créa les lycées, relança le commerce, favorisa l'industrie et remit de l'ordre dans les finances de l'État par la création d'une nouvelle monnaie et de la Banque de France. Mais, emporté par son succès populaire et par la soif de pouvoir, il remit en cause certains acquis de la Révolution. Il concentra entre ses mains tous les pouvoirs comme sous la monarchie absolue. Il imposa un régime autoritaire, supprima les libertés, renforça la police, fit surveiller les journaux et rétablit les inégalités en créant une noblesse impériale (doc. 3).

LEXIQUE

- **un coup d'État** : la prise du pouvoir par la force.
- **un empire** : un système dans lequel le pouvoir appartient à un empereur.
- **populaire** : aimé par le peuple.
- **la popularité** : le fait d'être aimé, apprécié.
- **restaurer** : rétablir.
- **réviser une loi** : la modifier, l'adapter.

53 Les guerres de l'Empire 1799-1815

1 Les grandes victoires François Gérard, *La Bataille d'Austerlitz* le 2 décembre 1805, 1810

Le 2 décembre 1805 au soir, le général Rapp rapporte à Napoléon les drapeaux pris à l'ennemi, preuve que la bataille a été gagnée.

▷ Décris ce tableau : le lieu, les personnes, les traces de la bataille, la lumière, l'atmosphère…

▷ Où se trouve Napoléon ? Comment est-il habillé ? Comment se tient-il ?

▷ Sur la carte 20, situe Austerlitz. D'après la carte, qui a remporté cette bataille ?

À l'aide de la carte, nomme d'autres victoires de Napoléon.

La Grande Armée

Napoléon était un grand général et un excellent stratège. Pendant la Révolution, il avait plusieurs fois mené les troupes françaises à la victoire. Devenu empereur, il enrôla davantage de soldats et constitua une « Grande Armée ». Ses troupes étaient fascinées par son ardeur au combat et lui étaient totalement dévouées (doc. 2). Napoléon poursuivit les guerres contre les pays voisins de la France dans l'espoir de propager les idées de la Révolution mais aussi par ambition personnelle : il voulait dominer l'Europe.

Les grandes victoires

Inquiets des ambitions de Napoléon, la Grande-Bretagne, l'Autriche, la Prusse et la Russie s'unirent pour combattre la France. De 1805 à 1809, Napoléon remporta de grandes victoires : Austerlitz (1805), Iéna (1806), Friedland (1807), Wagram (1809) et conquit près de la moitié de l'Europe (doc. 1 et carte 20). Dans les pays dominés, Napoléon mit en place des souverains qui lui étaient dévoués mais ne fit pas appliquer l'idéal de liberté de la Révolution, ce qui provoqua l'hostilité des populations.

→ 2 La Grande Armée

▷ Quelles étaient les relations entre Napoléon et la Grande Armée ?

↓ 3 La fin de l'Empire

Clément Andrieux, *La Bataille de Waterloo* le 18 juin 1815, 1852

Témoignage d'un soldat. 1er décembre 1805. L'Empereur vint à notre bivouac. On le suivit avec des torches allumées pour éclairer sa marche. Sa visite se prolongeant, le nombre de torches augmenta ; on le suivit en criant : « Vive l'Empereur ». Ces cris d'amour et d'enthousiasme se propagèrent dans toutes les directions ; tous les soldats, sous-officiers et officiers se munirent de flambeaux, en sorte qu'en moins d'un quart d'heure, toute l'armée en avait fait autant. Ce fut un embrasement général, un mouvement d'enthousiasme si soudain que l'Empereur dut en être ébloui.

D'après J. B. Barrès, 1835.

▷ Décris la scène : le lieu, les personnes, les chevaux mais aussi les couleurs, l'atmosphère, la manière dont le peintre a rendu l'impression de chaos...

▷ Sur la carte 20, situe Waterloo. Était-ce une victoire ou une défaite française ?

▷ D'après la chronologie K, que s'est-il passé après Waterloo ?

La fin de l'Empire

À partir de 1812, Napoléon connut une série de défaites. Le régime autoritaire, les guerres coûteuses et les défaites humiliantes firent perdre sa popularité à Napoléon. En 1814, les armées étrangères envahirent la France. Napoléon fut contraint d'abdiquer. L'année suivante, il tenta de reprendre le pouvoir, mais toute l'Europe se ligua contre lui et son armée subit une écrasante défaite à Waterloo (doc. 3). Il fut exilé sur l'île de Sainte-Hélène, dans l'Atlantique. Le pouvoir revint au frère de Louis XVI, qui restaura la monarchie (chronologie K).

LEXIQUE

● **abdiquer** : pour un souverain, renoncer au pouvoir, quitter ses fonctions.

● **exiler** : envoyer de force dans un pays étranger.

● **se liguer** : s'associer contre quelqu'un.

● **restaurer** : rétablir, remettre en état.

● **une retraite** : pour une armée, l'action de reculer, de se retirer.

● **un stratège** : un chef militaire qui sait organiser les batailles pour les remporter.

54 L'héritage de la Révolution

↓ 1 **Les droits de l'homme**

Loi. Le peuple français proclame à nouveau que tout être humain, sans distinction de race, de religion ni de croyance, possède des droits inaliénables et sacrés. Il réaffirme solennellement les droits et libertés de l'homme et du citoyen consacrés par la Déclaration des droits de 1789 et les principes fondamentaux reconnus par les lois de la République.

Préambule de la Constitution de la IVᵉ République, 1946

Le peuple français proclame solennellement son attachement aux Droits de l'homme et aux principes de la souveraineté nationale tels qu'ils ont été définis par la Déclaration de 1789.

Préambule de la Constitution de la Vᵉ République, 1958

↓ 2 **Une France unie : l'organisation du territoire**

Les 83 départements selon le découpage de 1790, gravure, XVIIIᵉ siècle

▷ Décris l'organisation du territoire français en 1790.

▷ Trouve une ressemblance et une différence avec l'organisation actuelle du territoire français.

▷ Situe l'endroit où tu vis.

Les droits de l'homme

En dépit de ses erreurs, notamment sous la Terreur et sous l'Empire, de ses échecs et du retour de la monarchie en 1815, la Révolution française a durablement marqué la France. Depuis, son idéal de liberté et d'égalité s'est ancré en France (doc. 1) et aussi dans une grande partie du monde. Ainsi, la Déclaration des droits de l'homme et du citoyen de 1789 a inspiré la Déclaration universelle des droits de l'homme, adoptée par l'ONU en 1948, qui concerne toute l'humanité (p. 205).

Une France unie

Avant la Révolution, la France était divisée en provinces dépendant chacune d'un grand noble qui l'organisait à sa guise. Les lois, l'organisation de la justice, étaient différentes d'une province à l'autre. La Révolution a réorganisé le territoire en 83 départements ayant tous le même statut et à peu près la même taille, chacun comprenant des arrondissements et des communes (doc. 2).
Le Code civil a créé un ensemble de lois valables pour tous les Français. Le contenu des lois a évolué

3 Une France unie : le Code civil

Discours. Les lois ne peuvent être obligatoires si elles sont inconnues, c'est pourquoi nous nous sommes occupés de les rassembler et de les publier. Nous avons déterminé les différents effets des lois. Elles permettent ou elles défendent ; elles ordonnent, elles corrigent, elles punissent ou elles récompensent. Elles sont obligatoires pour tous ceux qui vivent dans notre pays ; les étrangers mêmes, durant tout le temps qu'ils sont dans le pays, doivent obéir à la loi. Ce qui n'est pas contraire à la loi est permis.

D'après Portalis, discours de présentation du Code civil à l'Assemblée nationale, 1804

▷ Lis le texte et reformule-le avec tes propres mots.

▷ Explique cette phrase de Napoléon : « Ma vraie gloire n'est pas d'avoir gagné 40 batailles ; Waterloo effacera le souvenir de tant de victoires ; ce que rien n'effacera, ce qui vivra éternellement, c'est mon Code civil. »

4 Une France unie : les mesures

Le système métrique, gravure, 1795

▷ Retrouve une à une les mesures mises en place sous la Révolution : le mètre, le litre, le kilogramme, le franc, l'are et le stère.

depuis deux siècles mais le Code civil est toujours en vigueur en France, et ce principe d'un code unique valable pour tous a été repris dans de nombreux pays. La justice a été confiée à des juges indépendants, payés par l'État, et les départements confiés à des préfets. Ce système a évolué mais reste en vigueur de nos jours (doc. 3).

La Révolution a instauré l'état civil. Elle a imposé que les naissances, les mariages et les décès soient enregistrés non plus sur les registres des églises mais dans les mairies. Elle a institué le mariage civil (à la mairie) et autorisé le divorce.

La France révolutionnaire a également limité les différences régionales pour hamoniser la vie quotidienne sur l'ensemble du territoire. Elle a aboli les anciennes monnaies régionales, qui rendaient les échanges difficiles et, en 1793, a adopté le franc comme monnaie unique. De même, mettant fin aux systèmes de mesures (longueur, poids…) régionaux, elle a adopté le « système métrique », fondé sur le mètre (mais aussi le litre, le gramme…). Ces mesures communes à tous sont toujours en vigueur en France et ont été adoptées par la plupart des pays dans le monde (doc. 4).

5 Le XIXe siècle

de 1815 à 1914

sommaire

55	**L'expansion industrielle et la naissance du capitalisme**	150
Dossier	La machine à vapeur	152
56	**La révolution des transports**	154
57	**Les autres progrès scientifiques et techniques**	156
58	**L'essor du monde urbain**	158
Dossier	Paris transformé	160
59	**Le monde ouvrier**	162
60	**La bourgeoisie**	164
61	**Les luttes sociales au XIXe siècle**	166
62	**En marche vers la république**	168
63	**Les acquis du XIXe siècle et de la IIIe République**	170
Dossier	L'école de la IIIe République	172
64	**La place inégalitaire des femmes**	174
Dossier	Le combat pour l'égalité des femmes	176
65	**L'Europe se tourne vers le monde**	178
66	**La colonisation**	180
Dossier	La vie dans les colonies	182
67	**L'art et la culture au XIXe siècle**	184
Dossier	L'essor des livres et des journaux	186

Vincent Van Gogh, *Usines à Clichy*, 1887

55 L'expansion industrielle et la naissance du capitalisme

page 148 **1 L'expansion industrielle : une usine textile** L'usine Rime & Renard à Orléans

▷ Décris cette usine : le lieu, les machines, les ouvriers, le travail qu'ils font, les produits qu'ils fabriquent...
▷ Décris l'usine p. 148 : le lieu, le bâtiment, les cheminées...
▷ Quels sont les avantages de la fabrication artisanale ? de la fabrication en usine ?

L'expansion industrielle

Au XIXe siècle, des industriels ont créé de grandes usines dans lesquelles ils ont installé de nouvelles machines : machines à filer et à tisser, machines servant à exploiter les mines ou à produire de l'acier (doc. 1 et 2, et tableau p. 148). Elles fonctionnaient grâce à la vapeur, selon le principe inventé par James Watt en 1763, puis, dans la seconde moitié du XIXe siècle, grâce à de nouvelles sources d'énergie : l'électricité et le pétrole. Ces progrès techniques ont permis aux industriels de pro-duire des biens en grande quantité à des coûts faibles. Moins rentables, les petits ateliers artisa-naux ont presque tous disparu. Cette expansion (on parle parfois de « révolution industrielle ») a commencé en Angleterre, dans le nord et l'est de la France et en Allemagne, avant de s'étendre à toute l'Europe et l'Amérique du Nord (carte 21).

La naissance du capitalisme

La construction des usines et l'achat des machines étaient très coûteux. Les industriels ont donc utilisé

2 L'expansion industrielle : dans la mine

Roman. Il fit quelques pas, attiré par la machine, dont il voyait maintenant luire les aciers et les cuivres. Elle se trouvait dans une salle plus haute et marchait à toute vapeur. Le machineur, debout à la barre de mise en train, écoutait les sonneries des signaux, ne quittait pas des yeux le tableau indicateur. À chaque départ, quand la machine se remettait en branle, les bobines, les deux immenses roues de cinq mètres de rayon, tournaient à une telle vitesse qu'elles n'étaient plus qu'une poussière grise. Une charpente de fer, pareille à la haute charpente d'un clocher, portait un fil énorme, qui pouvait lever jusqu'à 12 000 kilogrammes, avec une vitesse de dix mètres à la seconde.

D'après Émile Zola, *Germinal*, 1885

▷ Quels éléments du texte révèlent le caractère impressionnant de la machine ?

▷ Cherche dans un dictionnaire ce qu'est une mine.

4 La naissance du capitalisme : les banques

Article de journal. Les entreprises modernes sont si vastes qu'il est impossible de les construire et de les faire marcher avec l'argent d'une seule personne. Il fallait beaucoup d'argent. Les frères Pereire ont accompli un miracle : ils ont persuadé les habitants des villes et les paysans de se séparer de leur argent et de leur confier. Ils ont collecté l'épargne des gens et l'ont investie dans l'industrie.

D'après *Die Neue Zeit*, 1892

▷ Pourquoi les frères Pereire avaient-ils besoin d'argent ? Comment se sont-ils procuré cet argent ?

3 La naissance du capitalisme : les actions

▷ À ton avis, pourquoi a-t-il fallu diviser le capital des entreprises industrielles ?

5 La naissance du capitalisme : l'organisation du travail

Texte de chercheur. Pour chaque ouvrière, on vérifia chaque jour la quantité et la qualité produites. On augmenta le salaire de celles qui produisaient le plus et le mieux et l'on réduisit celui de celles qui travaillaient moins bien. On les empêcha de bavarder pendant le travail en les éloignant les unes des autres. À la fin, 35 ouvrières faisaient le travail fait autrefois par 120 personnes.

D'après F. W. Taylor, 1913

▷ Comment a-t-on augmenté la production de chaque ouvrière ?

▷ Quels sont les avantages et les inconvénients de cette organisation du travail ?

---

les capitaux mis en commun par différentes personnes : chacune possédait, selon sa mise, une partie (des « actions ») des usines (doc. 3). Les industriels ont également emprunté de l'argent aux banques en plein essor. Au cours du XIXe siècle, celles-ci ont convaincu les particuliers de leur confier leur épargne (doc. 4).

Les industriels ont construit des usines de plus en plus grandes, utilisé de plus en plus de machines, employé de plus en plus d'ouvriers et repensé l'organisation du travail. Au début du XXe siècle, ils ont inventé le travail à la chaîne (doc. 5).

LEXIQUE

- **une action** : une part du capital d'une entreprise.
- **un capital** : une somme d'argent investie dans une entreprise, un commerce, une banque.
- **le capitalisme** : l'organisation de l'économie dans laquelle le matériel des entreprises appartient à des personnes différentes de celles qui les utilisent.
- **l'épargne** : l'argent que l'on a économisé.
- **l'industrialisation** : le développement de l'industrie.
- **le travail à la chaîne** : un mode de travail dans lequel les tâches sont divisées en gestes répétitifs à effectuer à une cadence définie.

La machine à vapeur

Il ne reste qu'une quinzaine de machines à vapeur en place dans les usines, en France. Celle-ci date de 1830 environ et a d'abord été utilisée dans une raffinerie de sucre, avant d'être rachetée par une scierie à Noirétable, dans le Massif Central, en 1909.

Le « chauffeur » met du bois pour le feu dans cette trappe.

Les flammes et les fumées passent dans ces tubes.

Chauffée dans ce dôme en pierre, l'eau se transforme en vapeur sous pression.

La vapeur arrive dans ce cylindre et tantôt pousse, tantôt tire le piston.

▷ Décris la chaudière, à gauche, puis la machine à vapeur, à droite, et explique leur fonctionnement.
▷ Avec quoi l'eau était-elle chauffée dans cette chaudière ?
▷ Connais-tu d'autres moyens de chauffer l'eau pour produire de la vapeur ?
▷ En quoi la machine à vapeur est-elle l'une des inventions majeures de l'histoire de l'humanité ?
▷ Par quoi, de nos jours, les machines à vapeur ont-elles été remplacées ?

La machine fait tourner le régulateur. Si la pression s'accroît, les boules s'écartent (force centrifuge), le losange s'aplatit et actionne un levier qui réduit l'alimentation : la machine ralentit.

Le piston actionne la bielle qui fait tourner la roue.

Le graisseur laisse échapper l'huile goutte à goutte. À chaque passage de la bielle, un pinceau récupère une goutte, qui s'infiltre : la machine est graissée en permanence.

Actionnée par la bielle, la roue transmet le mouvement aux machines de la scierie auxquelles elle est reliée par une courroie.

56 La révolution des transports

↑ 1 La machine à vapeur

Frances F. Palmer, *Le Train à vapeur*, 1864, États-Unis
Les premiers trains étaient propulsés par un moteur
à vapeur. L'eau était chauffée au charbon,
dans une chaudière située dans la locomotive.

▷ Décris ce tableau : la locomotive, le wagon de charbon,
les autres wagons, le bateau à vapeur à droite…

▶ Comment faisait-on pour se déplacer avant l'invention
du chemin de fer ?

▶ Quels sont les avantages du train ?

↑ 2 Le moteur à explosion : l'avion

L'avion du Français Clément Ader, 1890
En 1890, le Français Clément Ader fut le premier
à faire décoller un avion sur quelques mètres.

La machine à vapeur

L'invention de la machine à vapeur a permis de développer un nouveau moyen de transport : le train (doc. 1). La locomotive comportait une machine à vapeur alimentée en charbon. La première ligne de chemin de fer a été ouverte en Angleterre en 1825. Puis le réseau de voies ferrées a été développé en Europe et aux États-Unis (carte 21)… Le chemin de fer a permis le transport des personnes et surtout celui, en grandes quantités, des produits nécessaires aux usines (charbon, métal…) et a contribué à l'essor de l'industrie.

La machine à vapeur a également été utilisée pour propulser des navires, plus grands et plus rapides que les bateaux à voile (p. 179). La navigation sur les océans et le commerce maritime ont alors connu un nouvel essor.

⬇ 3 Le moteur à explosion :

l'automobile Une des premières voitures vers 1897

▷ Décris cette voiture et les personnes qui s'y trouvent.

▶ D'où vient l'énergie utilisée par les voitures : de la vapeur ?

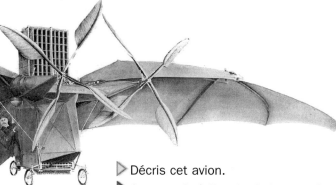

▷ Décris cet avion.

▶ Compare-le à l'engin de la p. 118 et trouve au moins une ressemblance et une différence. Qui l'avait inventé ? Pourquoi ne fonctionnait-il pas ? Pourquoi cet avion fonctionnait-il ?

▶ Quelles sont les différences et les ressemblances entre cet avion et les avions modernes ?

⬇ 4 La bicyclette

Affiche publicitaire vers 1895-1900

La bicyclette a été mise au point au XIXᵉ siècle, avec son allure actuelle : deux roues de même taille et surtout des pédales et une chaîne.

▷ Décris cette affiche : les illustrations et le texte.

▶ Quelle est la nature de ce document ?

▶ Quels étaient les avantages de la bicyclette par rapport aux moyens de transport existant auparavant ?

Le moteur à explosion

Dans la seconde moitié du XIXᵉ siècle, des ingénieurs ont inventé le moteur à explosion, qui fonctionne au pétrole. Celui-ci a permis de mettre au point l'automobile vers 1886 (doc. 3) et de réaliser un vieux rêve : voler (doc. 2). En 1903, les frères Wright aux États-Unis ont effectué le premier vol. Après eux, des aviateurs ont réalisé des exploits, comme la traversée de la Manche (1909) puis de l'Atlantique (1927) (p. 187).

> **L E X I Q U E**
>
> ● **un moteur à explosion** : un moteur dans lequel on provoque une petite explosion (avec de l'essence, par exemple) pour déplacer un piston ; ce système a progressivement remplacé le moteur à vapeur.

57 Les autres progrès scientifiques et techniques

↓ 1 Une ère de progrès

▷ Décris cette affiche publicitaire.

▷ Quelle invention vante-t-elle ?

▷ Comment faisait-on auparavant pour s'éclairer ?

▷ Quels sont les avantages de l'ampoule électrique ?

Manuel de lecture. La médecine et la chirurgie ont fait autant de progrès que l'hygiène. Les rayons X (découverts en 1895) permettent au médecin de voir à l'intérieur du corps de leurs malades et même de photographier leurs os. La découverte de l'anesthésie est une véritable révolution, dans la mesure où elle permet des soins plus efficaces en chirurgie mais aussi dans le secteur dentaire. La découverte du chloroforme (utilisé à partir de 1850) permet d'endormir ceux à qui on fait les opérations les plus douloureuses. Enfin, grâce aux pansements antiseptiques, les plaies se guérissent vite. Les maladies mortelles intestinales sont vaincues grâce aux progrès de l'hygiène et à la stérilisation du lait. Ajoutons à cela les belles découvertes de Pasteur. Un enfant, horriblement mordu par un chien enragé, a été guéri à l'Institut Pasteur de Paris en 1885. À la fin du XIXᵉ siècle, la tuberculose fait beaucoup de ravages mais le docteur Koch identifie le germe et le premier centre anti-tuberculeux est créé à Lille en 1901.

D'après G. Bruno, *Le Tour de France par deux enfants*, 1901

▷ Explique un à un les progrès évoqués dans ce texte.

▷ Pour chacun d'eux, imagine comment on faisait auparavant.

Affiche publicitaire de la fin du XIXᵉ siècle

Une ère de progrès

Au XIXᵉ siècle, des chercheurs se sont passionnés pour les sciences et ont réalisé d'importants progrès (doc. 1) : invention de la bicyclette (p. 155), découverte du fonctionnement des courants électriques et invention de l'ampoule électrique (Thomas Edison, 1879), découverte du rôle des microbes dans la propagation des maladies et élaboration des vaccins (Louis Pasteur, 1885), découverte du radium qui deviendra une importante source d'énergie (Marie et Pierre Curie, 1898) (p. 176).

Les images et les sons

En 1824, Nicéphore Niépce inventa la photographie. Le procédé fut perfectionné tout au long du XIXᵉ siècle et la photographie se développa rapidement (doc. 2). En 1878, Thomas Edison mit au point le phonographe, premier appareil capable de reproduire des voix et de la musique. En 1895, Louis et Auguste Lumière ont imaginé un procédé pour animer les images : ils ont inventé le cinématographe qui rencontra immédiatement l'engouement du public.

2 Les images et les sons

Autoportrait de Félix Nadar (1820-1910)

Dès son invention au XIXᵉ siècle, des photographes comme Nadar ont fait de la photographie, alors en noir et blanc, un art en travaillant la mise en scène, l'éclairage avec la lumière naturelle puis électrique.

▷ Décris Nadar : son habit, sa coiffure, sa moustache, sa position…

▶ À quoi vois-tu qu'il s'agit d'un portrait « posé » et non d'une photographie prise sur le vif ?

▷ Sais-tu comment on réalise un autoportrait ?

3 Les télécommunications

Graham Bell vers 1876

En 1876, aux États-Unis, Graham Bell inaugura publiquement son invention : un appareil capable de transmettre les paroles à distance, par le biais d'un fil électrique. Depuis, le téléphone a réalisé des progrès considérables.

▷ Décris cette vue : Graham Bell, son téléphone…

▶ En quoi le téléphone a-t-il représenté un progrès ? Comment faisait-on auparavant ?

▷ Connais-tu d'autres moyens de télécommunication ?

Les télécommunications

Les télécommunications sont nées et se sont développées au XIXᵉ siècle. En 1837, Samuel Morse a inventé le télégraphe électrique, premier système qui permettait de transmettre des messages sur de longues distances. En 1876, Graham Bell a mis au point le téléphone qui, progressivement, a permis de se parler d'un bout à l'autre de la planète (doc. 3). En 1899, Guglielmo Marconi et Édouard Branly ont inventé la TSF (transmission sans fil), ancêtre de la radio.

LEXIQUE

- **une ère** : une période.

- **le radium** : un métal qui émet des rayonnements radioactifs.

- **les télécommunications** : les communications d'informations à des personnes éloignées grâce à des moyens techniques (télégraphe, téléphone…).

- **un vaccin** : un produit que l'on injecte à une personne pour lui permettre de développer des défenses capables de la protéger d'une maladie.

58 L'essor du monde urbain

L'usine du Creusot s'est installée à la périphérie d'un bourg.

De nouveaux quartiers ont été construits, le bourg s'est développé et est devenu une ville.

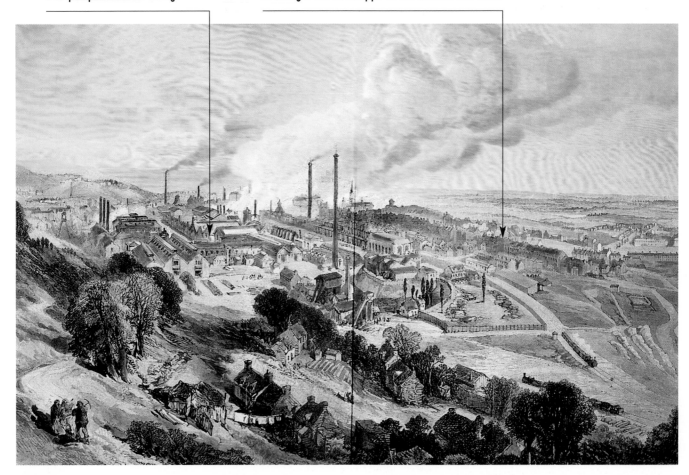

↑ 1 L'expansion des villes La naissance de la ville du Creusot, gravure, XIXᵉ siècle

▷ Décris ce paysage : le relief et la végétation, l'usine, les maisons…
▶ À ton avis, pourquoi la ville se développe-t-elle autour de l'usine ?

L'exode rural

Au cours du XIXᵉ siècle, les progrès de la médecine et de l'hygiène de vie (alimentation diversifiée, évacuation des eaux sales, etc.) ont entraîné une baisse de la mortalité. La population européenne a alors augmenté, passant de 266 millions d'habitants en 1850 à 460 millions en 1914. Dans les campagnes, les paysans sont devenus trop nombreux pour les terres disponibles et ont commencé à partir en nombre vers les villes dans l'espoir d'y trouver un emploi et une vie meilleure : c'est ce que l'on appelle l'exode rural (doc. 2).

L'expansion des villes

La croissance démographique et l'exode rural ont entraîné une augmentation du nombre et de la taille des villes. En un siècle, la population urbaine a été multipliée par sept en Europe. Les villes se sont agrandies de nouveaux quartiers à la périphérie : les industriels y installaient leurs usines, à la fois parce qu'ils y disposaient de vastes terrains et parce qu'ils trouvaient à proximité la main-d'œuvre nécessaire (doc. 1) ; des logements à bas prix y étaient alors construits qui ont donné naissance aux banlieues.

→ **2 L'exode rural**

▷ Explique ce qui se passe dans cette histoire : qui parle à qui ? Que dit-il ? Que veut-il faire ? Quelles sont ses motivations ?

▷ Quelles autres raisons pouvaient pousser les paysans à quitter les campagnes ?

Roman. Il y a, père, que je m'en vais ! J'en ai assez ! C'est fini ! Je ne veux plus remuer la terre, je ne veux plus soigner les bêtes, je ne veux plus m'éreinter à vingt-sept ans, pour gagner de l'argent qui passe à payer la ferme : voilà ! Je veux être mon maître et gagner pour moi. Ils m'ont accepté dans les chemins de fer. Je commence demain. J'emmène avec moi Éléonore. Elle en a assez elle aussi. Elle a trouvé une bonne place, un café dans lequel elle gagnera plus que chez vous.

D'après René Bazin, *La terre qui meurt*, Calmann-Lévy, 1899

⬇ **3 La transformation des villes** La tour Eiffel en construction (achevée en 1889)

Témoignage. De profondes tranchées dont plusieurs sont déjà de magnifiques rues sillonnent la ville, des îlots de maisons disparaissent comme par enchantement, des perspectives nouvelles s'ouvrent. Des monuments, dégagés des hideuses masures qui les masquaient, se montrent pour la première fois dans leur beauté complète ; d'autres sortent de leur ruine, inachevés et se terminent enfin. La physionomie de Paris est changée de fond en comble. La ville s'aère, s'assainit : plus de quartiers lépreux, plus de masures humides où la misère s'accouple avec l'épidémie. Les murailles pourries s'effondrent pour laisser surgir de leurs décombres des habitations dignes de l'homme, dans lesquelles la santé descend avec l'air et la pensée sereine avec la lumière et le soleil.

D'après Théophile Gautier, dans Édouard Fournier, *Paris démoli*, 1855

La tour imaginée par l'ingénieur Eiffel est entièrement en métal. Sa construction s'est heurtée aux protestations des habitants des environs, qui craignaient que la tour tombe sur eux. Prévue pour rester en place quelques mois, elle n'a jamais été démolie depuis.

La transformation des villes

La croissance urbaine mais aussi les progrès techniques ont profondément transformé les villes. Pour loger une population plus nombreuse, on a détruit les maisons anciennes des centres-villes pour les remplacer par de grands immeubles. Pour faciliter les déplacements, on a créé des rues plus larges et mis en place des transports en commun : omnibus, puis tramways et métros. Les villes ont été modernisées avec la création d'un réseau de canalisations (apport d'eau potable et de gaz dans les maisons, évacuation des eaux sales vers des égouts souterrains) et par l'éclairage des rues (lampadaires à gaz) (doc. 3 et pp. 160-161).

> **LEXIQUE**
>
> ● **la croissance démographique** : l'augmentation de la population.
>
> ● **l'exode rural** : le départ massif des habitants des campagnes vers les villes.
>
> ● **un omnibus** : une sorte d'autobus tiré par des chevaux.
>
> ● **un tramway** : un chemin de fer urbain.
>
> ● **l'urbanisation** : le développement des villes.

Paris transformé

Au milieu du XIXᵉ siècle, Paris ressemblait encore à une ville du Moyen Âge, avec ses ruelles étroites, sombres la nuit, ses vieilles maisons insalubres… De 1853 à 1870, le préfet Haussmann a lancé de grands travaux pour la moderniser.

1 De grands travaux Charles Malvile, Chantier de l'avenue de l'Opéra, 1865

Dans certains quartiers, les travaux ont pris une ampleur considérable : destruction des vieux bâtiments, creusement de larges boulevards avec trottoirs, construction de grands immeubles à belles façades de pierre et à toits de zinc…

Article de presse. On a déplacé avec un succès complet la fontaine de la place du Châtelet : l'opération était très difficile, car non seulement il fallait la déplacer, mais encore l'élever de trois mètres et la faire tourner pour la mettre dans l'axe du nouveau pont aux Changes. Ce pont a été reconstruit non par pure fantaisie mais afin de le placer dans l'alignement du palais de Justice et de façon qu'il desserve mieux la circulation entre les deux des rues les plus fréquentées de Paris.

D'après le quotidien *Le Temps*, 2 mai 1861

▷ Décris ce chantier : la rue, les bâtiments, les travaux, les personnes…

▷ Raconte l'histoire évoquée dans ce texte avec tes propres mots.

▷ Sur la photographie et dans le texte, relève des informations qui témoignent de l'importance des travaux entrepris à Paris.

2 Une ville moderne L'avenue de l'Opéra vers 1880

Les petites maisons
ont été remplacées
par de grands immeubles.

De grands monuments
ont été construits :
ici, l'Opéra de Paris.

En plus de fontaines publiques,
les Parisiens pouvaient désormais
avoir l'eau courante chez eux.

La nuit, les rues
étaient éclairées
par des réverbères à gaz.

Nombre de personnes se déplaçaient
en voiture à cheval, et ont continué
après l'invention de la voiture.

Les transports en commun urbains ont été
développés avec la mise en service
des omnibus puis la construction du métro.

▷ Dans la grande ville la plus proche de
chez toi, y a-t-il des immeubles de ce type ?

3 Une ville agrandie

En 1860, Paris fut agrandi aux communes
voisines. Elle devint alors l'une des plus
grandes capitales européennes
et les transformations entreprises
s'étendirent aux nouveaux quartiers.

▷ Nomme les communes intégrées
à Paris en 1860 : elles forment
désormais des quartiers de la capitale.

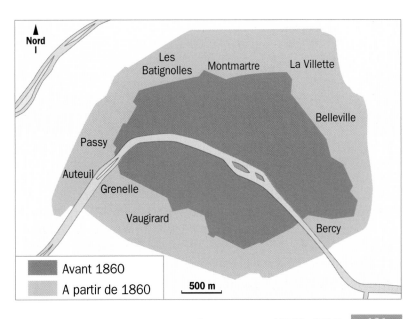

59 Le monde ouvrier

1 Le travail des ouvriers

Adolf Friedrich Erdmann von Menzel, *La Forge*,
vers 1872-1875

▷ Décris cette usine : le lieu, les machines,
les ouvriers, le travail qu'ils effectuent…

▷ Imagine les conditions de travail :
chaleur, bruit, fatigue, hygiène, sécurité…

▷ Explique le texte ci-contre avec tes propres mots.

▷ Fais des recherches sur son auteur.

> Poème.
>
> Où vont tous ces enfants dont pas un seul ne rit ?
> Ces doux êtres pensifs, que la fièvre maigrit ?
> Ces filles de huit ans qu'on voit cheminer seules ?
> Ils s'en vont travailler quinze heures sous des meules ;
> Ils vont, de l'aube au soir, faire éternellement
> Dans la même prison le même mouvement.
> Jamais on ne s'arrête et jamais on ne joue.
> Aussi quelle pâleur ! la cendre est sur leur joue.
>
> **D'après Victor Hugo, *Les Contemplations*, 1838**

Le travail des ouvriers

Pendant la révolution industrielle, une nouvelle catégorie de travailleurs s'est développée : celle des ouvriers. Ceux-ci travaillaient tous les jours, 12 à 15 heures par jour, sans vacances, pour des salaires très bas qui leur permettaient à peine de survivre. Tous les membres de la famille, même les enfants, devaient donc travailler pour rapporter un salaire. Le travail était pénible, la discipline sévère, les conditions d'hygiène mauvaises, les conditions de sécurité inexistantes : les maladies et les accidents du travail étaient nombreux (doc. 1). Mais les ouvriers n'avaient aucun moyen de réclamer une amélioration de leur sort : la grève était interdite ; les patrons renvoyaient ceux qui se plaignaient et la police arrêtait ceux qui manifestaient ou se révoltaient.

2 La vie quotidienne des ouvriers

Enquête. Il faut les voir arriver chaque matin en ville. Il y a, parmi eux, une multitude de femmes pâles, maigres, marchant pieds nus au milieu de la boue, et un nombre encore plus considérable de jeunes enfants, non moins sales, couverts de haillons. Ils portent à la main ou cachent sous leur veste, comme ils le peuvent, le morceau de pain qui doit les nourrir jusqu'à l'heure de leur retour à la maison. Ainsi, à la fatigue d'une journée démesurément longue puisqu'elle est au moins de quinze heures, s'ajoute celle de ces allers et retours si pénibles. Pour éviter de parcourir un chemin aussi long, ils s'entassent dans des chambres ou des pièces petites près de leur travail. Un mauvais et unique grabat pour toute la famille, un petit poêle qui sert à la cuisine comme au chauffage, une caisse ou grande boîte en guise d'armoire, deux ou trois chaises, un banc, quelques poteries composent le mobilier qui garnit la chambre. Les plus pauvres habitent les caves et les greniers. On y accède par un escalier, qui est à la fois la porte et la fenêtre.

D'après le Dr Villermé, *Tableau de l'état physique et moral des ouvriers*, 1840

Roman. Ce furent deux mois de terrible gêne. Il lui fallait trente sous chaque jour, le loyer compris, en consentant à vivre elle-même de pain sec, pour donner un peu de viande à l'enfant. Son dénuement devint complet. Elle eut beau se présenter dans les magasins : on la renvoyait, plus de cinq mille employés de commerce, congédiés comme elle, battaient le pavé, sans place. Alors, elle tâcha de se procurer de petits travaux : seulement elle ne savait où frapper, acceptait des besognes ingrates, ne touchait même pas toujours son argent. Certains soirs, elle faisait dîner son fils tout seul, d'une soupe, en lui disant qu'elle avait mangé dehors ; et elle se mettait au lit, la tête bourdonnante.

D'après Émile Zola, *Au Bonheur des dames*, 1885

Logement ouvrier vers 1910

▷ Décris ce logement ci-dessus.

▷ Cherche les indices qui prouvent qu'il est insalubre.

▷ Cherche dans ces deux textes :
– combien de temps les ouvriers travaillaient chaque jour ?
– quel était leur aliment principal ?
– comment ils étaient habillés et chaussés ?
– trois preuves de leur grande pauvreté.

▷ À ton avis, pourquoi les enfants travaillaient-ils au lieu d'aller à l'école ?

▷ Que penses-tu de cette situation ?

▷ Fais des recherches sur l'auteur du second texte.

La vie quotidienne des ouvriers

Avec leurs maigres salaires, les ouvriers vivaient pauvrement. Ils habitaient des logements minuscules, insalubres et non chauffés. Ils mangeaient mal. En cas de maladie, d'accident ou de chômage, et quand ils étaient trop vieux pour travailler, ils sombraient dans la misère (doc. 2). Dans la seconde moitié du siècle, cependant, les ouvriers ont vu leurs conditions de travail et de vie s'améliorer (voir pp. 166-167).

> **L E X I Q U E**
>
> • **la grève** : un arrêt de travail pour protester contre les conditions de travail et réclamer des améliorations.
>
> • **insalubre** : mauvais pour la santé.

60 La bourgeoisie

1 La grande bourgeoisie A. La Brely, *Victorien Sardou et ses enfants*, vers 1875

▷ Décris cette scène : la pièce, les meubles, les personnes et leurs occupations…

▷ Quels éléments indiquent que cette famille vit dans la richesse ?

▷ Lis le texte et raconte cette fête chez les Duveyrier : le lieu, les invités, les personnes qui reçoivent et leurs activités…

▷ Quels éléments témoignent de la richesse de cette fête ?

▷ Que sais-tu de l'auteur de ce texte ?

Roman. Lorsqu'ils entrèrent, on s'écrasait déjà chez les Duveyrier. Le piano à queue, énorme, tenait tout un panneau du salon ; et deux flots épais d'habits noirs débordaient, aux portes laissées grandes ouvertes de la salle à manger et du petit salon. Le lustre éclairait d'une clarté aveuglante de plein jour la pièce blanc et or, dans laquelle tranchait violemment la soie rouge du meuble et des tentures. Il faisait chaud, les éventails s'agitaient. Mais justement, Mme Duveyrier se mettait au piano. Derrière le flot des habits noirs, Duveyrier regardait fixement sa femme assise au piano. À la boutonnière de son habit, il portait le ruban de la Légion d'honneur.

D'après Émile Zola,
Pot-Bouille, 1885

La grande bourgeoisie

Au XIXe siècle, la grande bourgeoisie, constituée des banquiers et des industriels, s'est considérablement enrichie du fait de la prospérité. Leurs valeurs essentielles étaient la « réussite », fondée sur le travail et l'épargne. Avec leurs familles, ils habitaient de luxueux hôtels particuliers dans les beaux quartiers des grandes capitales européennes (doc. 1). Ils employaient de nombreux domestiques grâce auxquels ils menaient une vie mondaine, organisant de grandes fêtes, mais aussi assistant à des courses de chevaux et se rendant au théâtre, au concert et dans les stations thermales à la mode. Au fil du siècle, les grands bourgeois ont occupé les principales fonctions politiques : maires, députés, ministres…

La petite et moyenne bourgeoisie

Au XIXe siècle, la petite et la moyenne bourgeoisie se sont également développées. Composées de méde-

2 La petite et la moyenne bourgeoisie

Auguste Renoir, *Le Bal du Moulin de la Galette*, 1876

▷ Décris cette scène : le lieu, les personnes et leurs occupations…

▷ Lis le texte et explique ce que cette famille fait pour la réussite de ses enfants.

Roman. À neuf heures, Monsieur se trouve au bureau des passeports dont il est un des sous-chefs. Le soir, il est à la caisse du Théâtre italien. Les enfants sont mis en nourrice puis au pensionnat. Monsieur et Madame demeurent à un troisième étage, n'ont qu'une cuisinière, donnent des bals dans un tout petit salon. Mais ils donnent 150 000 francs à leur fille qui se marie. Ces travaux de toute une vie profitent aux enfants que cette petite bourgeoisie tend fatalement à élever dans la haute. Le fils du riche épicier fait notaire, le fils du marchand de bois se fait magistrat.

D'après Honoré de Balzac, *La Fille aux yeux d'or*, 1835

cins, de magistrats, d'ingénieurs, d'enseignants, d'employés de bureau, ces classes moyennes se distinguaient du monde ouvrier et des paysans par leur niveau de vie mais aussi par leur mentalité. Comme la grande bourgeoisie, ils avaient le goût du travail, le sens de l'épargne, l'attachement à la propriété et à l'ordre. Mais leur niveau de vie était plus modeste que celui de la grande bourgeoisie. Ils avaient le désir de s'élever socialement, notamment pour leurs enfants (bon emploi pour les garçons, bon mariage pour les filles) (doc. 2).

LEXIQUE

● **les classes moyennes** : l'ensemble des personnes de la petite et moyenne bourgeoisie, qui est moins élevée socialement que la grande bourgeoisie, mais plus que les ouvriers.

● **un hôtel particulier** : une vaste et luxueuse maison en ville.

● **une station thermale** : un endroit dans lequel on trouve des sources d'eau minérale et où l'on vient se soigner avec ces eaux.

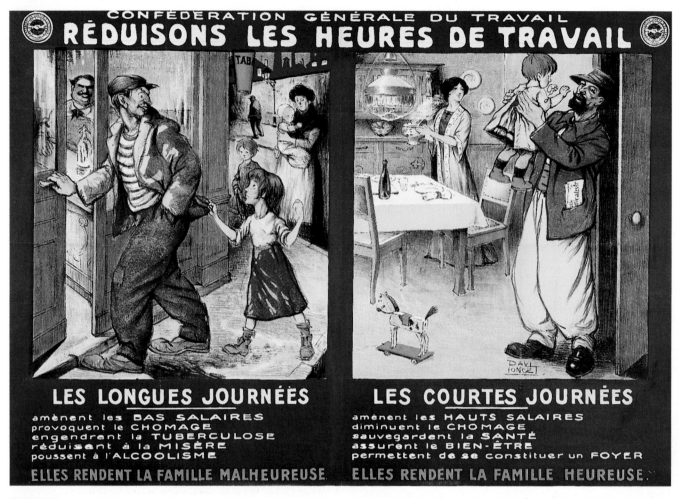

CONFÉDÉRATION GÉNÉRALE DU TRAVAIL

RÉDUISONS LES HEURES DE TRAVAIL

LES LONGUES JOURNÉES
amènent les BAS SALAIRES
provoquent le CHÔMAGE
engendrent la TUBERCULOSE
réduisent à la MISÈRE
poussent à l'ALCOOLISME

ELLES RENDENT LA FAMILLE MALHEUREUSE.

LES COURTES JOURNÉES
amènent les HAUTS SALAIRES
diminuent le CHÔMAGE
sauvegardent la SANTÉ
assurent le BIEN-ÊTRE
permettent de se constituer un FOYER

ELLES RENDENT LA FAMILLE HEUREUSE.

↑ 1 La lutte syndicale Affiche syndicale à l'occasion du 1ᵉʳ mai 1910

▷ Décris chaque image et commente le texte qui se trouve en dessous.
▷ Rappelle en quelques mots les conditions de travail et de vie des ouvriers au XIXᵉ siècle.
▷ Que réclame cette affiche ? Quel argument utilise-t-elle ?

La lutte syndicale

Au cours du XIXᵉ siècle, les ouvriers se sont organisés pour s'entraider en cas de chômage, de maladie ou d'accident du travail… Puis ils ont fondé des associations et des syndicats au sein desquels ils ont pu discuter et organiser des grèves pour obtenir une amélioration de leur sort (doc. 1).

La lutte politique

Dans le même temps, des penseurs appelés « socialistes » ont cherché à transformer la société et à améliorer le sort des ouvriers. Ils ont constitué des partis politiques, fait élire des députés à l'Assemblée, organisé des manifestations, parfois des révoltes… (doc. 2)

Des lois importantes

L'action des syndicats et des partis politiques a permis le vote de lois constituant des progrès importants (doc. 3) :
– interdiction du travail des enfants en 1841 ;
– droit de grève en 1864 ;
– autorisation de création des syndicats en 1884 ;

2 La lutte politique

Jean Jaurès lors d'une manifestation en 1913

▷ Décris cette manifestation : la foule, Jean Jaurès, son attitude, le drapeau…

▷ Que peut-il réclamer pour améliorer la vie des ouvriers ?

▷ Fais des recherches pour savoir qui était Jean Jaurès et quelle a été son action.

3 Des lois importantes

Loi. **Art. 2.** Les enfants devront, pour être admis, avoir au moins huit ans. De huit à douze ans, ils ne pourront être employés plus de huit heures sur vingt-quatre. De douze à seize ans, ils ne pourront être employés plus de douze heures sur vingt-quatre.

Art. 3. Tout travail de nuit est interdit pour les enfants au-dessous de treize ans.

Art. 4. Les enfants au-dessous de seize ans ne pourront être employés les dimanches et jours de fêtes.

Art. 5. Tout enfant admis devra, jusqu'à douze ans, suivre une école.

D'après la loi de 1841

▷ Quelles sont les mesures prises par cette loi ?

▷ Qui cherche-t-elle à protéger ?

▷ Ces mesures te semblent-elles suffisantes ?

4 Un progrès général

Rapport. Le travailleur, misérable au commencement du siècle, a vu sa condition matérielle notablement améliorée. Son budget offre aujourd'hui beaucoup plus d'élasticité et lui apporte un bien-être modeste, certes, mais jadis inconnu. Si le progrès n'a pas uniformément répandu ses bienfaits, tous les travailleurs en profitent plus ou moins. En 1840, la durée de travail effectif était de 13 heures par jour. En 1900, elle est descendue à dix heures et demie en moyenne, même si certains établissements atteignent ou dépassent le maximum légal de 12 heures.

D'après A. Picard, ministère français du Travail, 1900

▷ Quels sont les différents progrès dans les conditions de vie des ouvriers ?

▷ Que penses-tu de ces progrès ?

– réduction progressive du temps de travail et création d'un jour de congé par semaine en 1906 ;
– limitation du travail de nuit ;
– mise en place d'un système de retraite en 1910.

Un progrès général

Les conditions de vie et de travail des ouvriers se sont nettement améliorées au fil du siècle. Les salaires ont augmenté, des logements salubres ont été construits… (doc. 4) Mais la situation des ouvriers est restée précaire. Au début du XXe siècle, beaucoup vivaient encore dans la pauvreté.

LEXIQUE

● **un parti politique** : une association de personnes qui ont les mêmes idées et veulent prendre le pouvoir pour les mettre en œuvre.

● **précaire** : difficile, fragile.

● **les socialistes** : des personnes qui veulent réduire, voire supprimer les inégalités sociales en transformant la société.

● **un syndicat** : une association de personnes exerçant le même métier ou le même type de métiers et qui s'unissent pour défendre leurs intérêts communs.

↓ 1 Une succession de régimes Eugène Delacroix, *La Liberté guidant le peuple*, 1831

En 1830, le peuple s'est révolté contre le roi, frère de Louis XVI, qui exerçait le pouvoir de manière autoritaire.

Une succession de régimes

Après la fin de l'Empire de Napoléon Ier (1815), la France a connu une succession de régimes politiques (chronologie K) :
– une monarchie dans laquelle le roi partageait le pouvoir avec des députés élus ;
– une république avec Louis-Napoléon Bonaparte pour président ;
– un empire avec Napoléon III (Louis-Napoléon Bonaparte) comme empereur.

La France a également connu des révolutions, le peuple étant poussé par la misère et excédé par l'autorité de ses dirigeants (doc. 1 et chronologie K).

Les débuts de la IIIe République

En 1870, une guerre opposa la France aux États allemands et bouleversa le destin des deux pays. Rapprochés par leur victoire commune contre la France, les États allemands s'unirent pour former un même État : l'Allemagne. En France, Napoléon III

2 Les débuts de la IIIe République

Article de presse. La Commune a été proclamée. L'artillerie sur les quais tonnait au soleil. Derrière les barricades se tenait la foule : hommes saluant du chapeau, femmes saluant du mouchoir, le défilé triomphal, les canons abaissant leur gueules de bronze, humbles et paisibles. Devant la Façade sombre, qui a vu tant d'événements qui sont aujourd'hui l'histoire, la Garde nationale défilait en jetant les vivats de son enthousiasme tranquille et fier. Au-dessus de l'estrade se tenaient les élus du Peuple – braves gens à la tête énergique et sérieuse ; le buste de la République regardait, impassible, cette moisson de baïonnettes étincelantes au milieu de laquelle frissonnaient les drapeaux aux couleurs éclatantes. La Commune est proclamée dans une journée de fête révolutionnaire et patriotique, pacifique et joyeuse, d'ivresse et de solennité, de grandeur et d'allégresse, digne de celles de 1793 et qui console de vingt ans d'empire. La Commune est proclamée. C'est aujourd'hui la fête de la révolution.

Jules Vallès, _Le Cri du Peuple_, 30 mars 1871

▷ Raconte cette scène avec tes propres mots.
▷ Relève deux passages dans lesquels l'auteur montre l'importance historique du moment.
▷ Sur la chronologie K, trouve la date de la Commune. Quel régime politique venait de se terminer ? Quel autre commençait ?

Témoignage. Dans toutes les rues, sur toutes les places, dans tous les squares, des milliers de pauvres gens furent égorgés. De malheureuses femmes, des petits enfants furent mis en pièces par des mitrailleuses. Durant quinze jours, le sang coula dans la Seine par l'égout. Plusieurs centaines de communards étaient tombés entre les mains des soldats. L'officier donna l'ordre de fusiller tous les prisonniers qui avaient plus de quarante ans en disant : « Ils ont déjà vu la révolution de 1848, ils n'en verront plus d'autres ! »

D'après G. Lefrançais, ancien communard, 1871

▷ Lis ce texte et explique ce qui est arrivé quelques mois plus tard.
▷ Les républicains qui ont envoyé l'armée contre les communards ont-ils respecté les principes de 1789 ?

Témoignage. Dès le départ, le peuple chantait. Au-dessus du cortège, une longue, immense file de drapeaux rouges, de pancartes bleues, d'insignes et ornements variés défilait. Tout à coup, un grand cri s'élève : « Vive la République ! » Ce n'était pas Vive la République amorphe et officielle, mais Vive la République vivante, Vive la République triomphante, Vive la République parfaite !

D'après Charles Péguy, inauguration de la statue de la République place de la Nation à Paris, 1899

▷ Lis ce texte et raconte la scène.
▷ Quelle est l'attitude de la foule vis-à-vis de la république ?

▷ Décris ce tableau. Comment la liberté est-elle représentée ? Que tient-elle dans sa main ?
▷ Quelle impression se dégage de ce tableau ?
▷ Sur la chronologie K, trouve quels régimes se sont succédé en France au XIXe siècle.

abdiqua et la république fut proclamée. En 1871, les Parisiens, qui refusaient la défaite et voulaient fonder une république populaire, organisèrent une révolution : la Commune. Mais les dirigeants ordonnèrent la répression, firent exécuter 25 000 communards et déporter beaucoup d'autres (doc. 2). Malgré l'action des conservateurs, favorables au rétablissement de la monarchie, l'idée républicaine s'est peu à peu enracinée dans le pays et les élections ont amené de plus en plus de députés républicains à l'Assemblée (doc. 2).

LEXIQUE

● **abdiquer** : pour un souverain, renoncer au pouvoir.

● **les conservateurs** : les hommes politiques qui veulent éviter le changement et maintenir tel quel le régime politique ou l'organisation de la société.

● **déporter** : envoyer un prisonnier dans un camp, loin de chez lui.

● **un régime politique** : la manière dont est organisé le pouvoir dans un pays.

Texte d'écrivain. Quoi ! Être une nation libre et avoir sous ses pieds une race esclave ! Être chez soi la lumière et hors de chez soi la nuit ! Citoyen ici, marchand d'esclaves là ! Faire une révolution qui aurait un côté de gloire et un côté de honte ! Après la royauté chassée, l'esclavage resterait ? Il y aurait près de vous un homme qui serait à vous, un homme qui serait votre chose ! Vous auriez sur la tête un bonnet de liberté pour vous et à la main une chaîne pour lui !

D'après Victor Hugo, *Seconde Lettre à l'Espagne*, 1868

▷ Décris ce bureau de vote : la pièce, le matériel, les symboles républicains, les personnes présentes…

▷ Sur la chronologie K, trouve en quelle année le suffrage universel masculin a été instauré.

▶ En quoi est-ce un progrès ? Quelle limite existe encore ?

▷ Explique avec tes propres mots ce que dit Victor Hugo dans ce texte.

▷ Sur la chronologie K, trouve en quelle année l'esclavage a été aboli en France.

Les acquis de 1848

La marche vers la république a été ponctuée par la conquête de grandes libertés. L'année 1848 a été marquée par deux acquis fondamentaux, jamais remis en cause depuis (doc. 1 et chronologie K) :
– le suffrage masculin (pour les hommes de plus de 21 ans) a été instauré ;
– l'esclavage, pratiqué notamment dans les Antilles françaises, a été aboli grâce à l'action de Victor Schœlcher.

Les acquis de la IIIᵉ République

Les républicains ont fait voter des lois importantes qui transformèrent la société :
– en 1881-1882, les lois de Jules Ferry ont rendu l'enseignement laïc, gratuit et obligatoire jusqu'à treize ans (doc. 2, chronologie K et p. 177-178) ;
– différentes lois ont rétabli les grandes libertés en France : liberté de se réunir, d'avoir ses propres opinions, de les exprimer et de les écrire, en 1881 ; liberté de créer des syndicats en 1884 ; liberté de

2 Les acquis de la IIIᵉ République Extraits d'un tract républicain vers 1881

La République nous a donné la paix, car ce sont les députés et non un seul homme qui peuvent déclarer la guerre.

La liberté de la presse a permis au plus petit village de connaître la vérité sur les actes du gouvernement.

Son effort s'est porté sur l'éducation nationale, l'instruction de tous est assurée.

Le respect de la liberté de tous est assuré, qu'il s'agisse du prêtre, du pasteur et du rabbin.

Aussi, Peuple français ! Va nommer tes nouveaux députés et vote solennellement pour la République !

▷ Quelles actions de la République sont représentées ici ?
▷ En quoi constituent-elles un progrès ?

3 Le 14 Juillet

Témoignage. Tous les ans, les 14 juillet, une grande cérémonie républicaine était célébrée dans la joie. Des jeux, des compétitions étaient organisés. Et le soir, un banquet réunissait cent convives dans la grande salle des fêtes de la mairie. Un discours était prononcé. Une retraite aux flambeaux, un immense feu de joie auprès duquel, spontanément, on chantait *La Marseillaise*, un bal public, terminaient la fête.

D'après *Mon village, ses hommes...*, Delagrave, 1945

▷ Que célèbre-t-on le 14 juillet ?

---

s'associer, de créer des associations en 1901 (doc. 2) ;
– en 1905, la loi dite « de séparation des Églises et de l'État » a institué la laïcité de l'État et la liberté de religion.
À la fin du XIXᵉ siècle, les républicains ont défini les valeurs civiques et morales, celles des droits de l'homme et de justice, sur lesquelles la république devait se fonder. Elles sont devenues des valeurs communes pour la majorité des Français et une référence pour de nombreux autres pays (doc. 3).

LEXIQUE

● **abolir** : supprimer, interdire, mettre fin.

● **l'abolition** : la suppression, l'interdiction, la fin.

● **la laïcité** : le fait d'être indépendant de toute religion.

● **le suffrage universel** : le droit de vote accordé à tous les citoyens.

L'école de la IIIe République

C'est la IIIe République qui a permis à tous les enfants de France d'avoir la chance d'aller à l'école : c'est l'une des œuvres majeures de la IIIe République.

⬇ 1 L'œuvre d'un homme : Jules Ferry

Fervent défenseur de la République, Jules Ferry a été ministre de l'Instruction publique (1879-1883) et a mis en place l'école laïque, gratuite et obligatoire.

▷ Décris Jules Ferry : son allure, son vêtement.

Discours politique. Je me suis fait un serment : entre tous les problèmes, j'en choisirai un auquel je consacrerai tout ce que j'ai d'intelligence, tout ce que j'ai d'âme, de cœur, de puissance physique et morale : c'est le problème de l'éducation du peuple. L'inégalité de l'éducation est la dernière, la plus redoutable des inégalités de la naissance. Avec l'inégalité de l'éducation, je vous défie d'avoir jamais l'égalité des droits, qui est pourtant l'essence de la démocratie.

D'après Jules Ferry à l'Assemblée nationale, 1870

▷ Quelle est la nature de ce texte ? À qui l'auteur s'adresse-t-il ?

▷ De quand ce discours date-t-il ?

▷ Que dit Jules Ferry dans ce discours ?

▶ A-t-il tenu son engagement ?

▷ De nombreuses écoles portent le nom de Ferry : à ton avis, pourquoi ?

⬇ 2 L'école laïque, gratuite et obligatoire

Texte de loi. Art. 2. Les écoles primaires publiques accorderont un jour de congé par semaine, en plus du dimanche, afin de permettre aux parents de faire donner, s'ils le désirent, à leurs enfants, l'instruction religieuse en dehors des édifices scolaires.

Art. 4. L'instruction primaire est obligatoire pour les enfants des deux sexes, âgés de six ans à treize ans.

D'après la loi de 1882

▷ Quelle est la nature de ces textes ? De quand datent-ils ? Qui en sont les auteurs ? À qui s'adressent-ils ?

▷ Que disent ces textes ?

▶ En quoi le fait que l'école publique devienne laïque était-il un progrès pour la société ?

▶ Pourquoi était-il nécessaire que l'école devienne gratuite ?

▶ En quoi l'école ne pouvait-elle devenir obligatoire que si elle était laïque et gratuite ?

Discours politique. Pourquoi gratuite ? Parce que ce qui importe à tous doit être payé par tous. Chacun paye sa quote-part pour l'entretien des tribunaux même s'il n'a jamais de procès, pour l'entretien de l'armée et de la police, de toutes les administrations publiques même s'il n'a jamais recours à aucune d'elles. Il faut qu'il en soit ainsi, parce que nous sommes un peuple et non une réunion d'individus égoïstes. Il faut que chacun reçoive l'instruction de la société comme un don national, au lieu de l'acheter s'il est riche, ou de les mendier s'il est pauvre. La gratuité pour les enfants, c'est l'égalité pour les parents.

D'après Ferdinand Buisson, inspecteur, 1883

3 Une classe de la IIIᵉ République École primaire de garçons dans la Meuse

leçon de morale | poids et mesures | boîte d'insectes | mappemonde | leçon d'écriture

Mardi 1ᵉʳ août

Plus fait douceur que violence

Leçon d'Écriture.
Tenue du porte-plume

▷ Décris cette classe : la pièce, le maître, les élèves, le matériel.

▷ Qu'est-ce que ce maître est en train d'apprendre à ses élèves ?

▷ D'après le matériel de cette classe, quelles matières étaient enseignées à l'école à la fin du XIXᵉ siècle ?

⬇ 4 L'école de la République

L'école a rapidement représenté une véritable chance de s'élever socialement, notamment pour les fils de paysans.

▷ Quelle est la nature de ce texte ? Qui en est l'auteur ?

▷ Quelles difficultés l'auteur a-t-il rencontrées pour mener à bien ses études ?

▷ Pourquoi ses parents l'ont-ils retiré de l'école quand il a eu treize ans ?

Témoignage d'un instituteur. Mon maître m'avait pris en affection et, comme il savait que ma famille n'aurait pas les moyens de m'envoyer dans une école supérieure, il lui proposa de me prendre dans sa famille et de faire de moi un instituteur. Mais à mes treize ans, mes parents m'enlevèrent de l'école pour le travail des champs. Deux ans plus tard, une institutrice jugea, par mes cahiers, que je devais présenter le certificat d'études. Elle vit mes parents. Elle insista. Finalement, j'allais réviser dans la soirée. Le jour de l'examen arrive. Je suis reçu le premier. Le succès éblouit mes parents et ils demandèrent à un maître de me prendre à son cours supérieur. C'est ainsi que je continuai mes études. Je faisais allègrement, chaque jour de classe, mes 8 km à pied. En 1901, je présentai le concours d'admission à l'École normale. Je fus admis.

D'après Jacques Ozouf, *Nous, les maîtres d'école*, Gallimard, 1993

64 La place inégalitaire des femmes

⬇ 1 Les femmes dans la famille

Texte de loi.

Art. 213. Le mari doit protection à sa femme, la femme doit obéissance à son mari.

Art. 229. Le mari pourra demander le divorce si sa femme commet un adultère.

Art. 230. La femme pourra demander le divorce si son mari commet un adultère dans leur maison.

Art. 1124. La femme passe de l'autorité de son père à celle de son mari. Elle est une éternelle mineure qu'il faut protéger.

Art. 1421. Le mari s'occupe seul des biens de la famille. Il peut les vendre et les donner sans l'accord de sa femme.

D'après le Code civil, 1804

▷ Quelle est la nature de ce texte ?
▷ Sais-tu qui en est l'auteur ?
▷ Explique ces lois avec tes propres mots.
▷ Que penses-tu de cette situation ?

→ 2 Les femmes et le travail : bourgeoise et domestique

Alfred Roll (1846-1919), *Retour du bal*, 1886

Les femmes de la bourgeoisie étaient cantonnées à s'occuper de la maison et à paraître dans les bals ou à organiser des fêtes. Les femmes du peuple, en revanche, travaillaient presque toutes. Parmi elles, les domestiques (les « bonnes à tout faire ») travaillaient de 6 heures à 22 heures, tous les jours, et pouvaient même être réveillées durant la nuit.

Les femmes dans la famille

Le Code civil faisait des femmes des êtres inférieurs aux hommes. Elles devaient se soumettre à l'autorité de leur père, puis à celle de leur mari. Elles ne possédaient rien, ne pouvaient pas travailler sans leur autorisation ni les quitter. Elles étaient chargées de tenir la maison et d'éduquer les enfants. L'Église catholique, soucieuse de l'éducation chrétienne des enfants, encourageait cette organisation de la société (doc. 1).

Les femmes et le travail

Les femmes de la bourgeoisie ne travaillaient pas et se consacraient à leur maison, à leur famille, à l'organisation des fêtes, ainsi qu'à des œuvres de charité (doc. 2).

En revanche, les femmes du peuple, paysannes, ouvrières et domestiques, travaillaient car leur salaire était indispensable pour faire vivre leur famille. Leurs journées étaient interminables, leur emploi précaire et leur salaire nettement inférieur à

3 Les femmes et le travail : les ouvrières I.F. Bonhomme, *Atelier de la mine de Blanzy*, 1860

▷ Décris chacun des tableaux de cette leçon : le lieu, les personnes, leur travail, leur attitude…

▷ Quelles femmes travaillent ? Lesquelles ne travaillent pas ?

▶ Les femmes étaient payées moins cher que les hommes : que penses-tu de cette situation ?

4 Les femmes et la vie publique

▶ Que sais-tu de l'auteur de ce texte ?

▷ Que dit-il ici ?

▶ Explique la dernière phrase.

> Lettre. Il est douloureux de le dire : dans la civilisation actuelle, il y a une esclave. Cette esclave, c'est la femme. L'homme a chargé inégalement les deux plateaux du Code ; il a fait verser tous les droits de son côté et tous les devoirs du côté de la femme. Dans notre législation, la femme ne possède pas, elle ne vote pas, elle ne compte pas, elle n'est pas là. Il y a des citoyens, il n'y a pas de citoyennes. C'est là un état violent : il faut qu'il cesse. Une société est mal faite quand l'enfant est laissé sans lumière, quand la femme est maintenue sans initiative ; et l'on reconnaîtra qu'il est difficile de composer le bonheur de l'homme avec la souffrance de la femme.
>
> **D'après Victor Hugo, 1876**

celui des hommes (doc. 2 et 3). Rares étaient celles qui faisaient des études, et certains métiers (médecin, avocat) leur étaient inaccessibles.

Les femmes et la vie publique

En France, comme dans la plupart des pays européens, les femmes ne participaient pas à la vie publique : elles n'avaient pas le droit de voter, elles étaient exclues des syndicats et rarement admises à participer aux grèves (doc. 4).

LEXIQUE

● **le Code civil** : le recueil de lois réunies par Napoléon Bonaparte en 1804.

● **le labeur** : le travail pénible.

● **les œuvres de charité** : expression ancienne utilisée pour désigner les actions humanitaires, généralement entreprises au nom des valeurs chrétiennes.

● **précaire** : incertain, qui n'est pas stable.

Le combat pour l'égalité des femmes

À partir du XIXᵉ siècle, certaines personnes se sont mobilisées
pour lutter contre l'inégalité entre les hommes et les femmes.

⬇ 1 Le combat pour l'éducation Marie-Aimée Lucas-Robiquet, *Pendant la dictée*, 1909, Bretagne

Discours. Réclamer l'égalité d'éducation pour tous, c'est la revendiquer pour les deux sexes. Il y a aujourd'hui une barrière entre la femme et l'homme, entre l'épouse et le mari, ce qui fait que beaucoup de mariages, harmonieux en apparence, recouvrent les plus profondes différences d'opinions, de goûts, de sentiments ; mais alors ce n'est plus un vrai mariage, car le vrai mariage, Messieurs, c'est le mariage des âmes.

D'après Jules Ferry, 1870

▶ Que sais-tu de l'auteur de ce texte ?

▷ Que demande-t-il ?

▷ Quel est son argument ?

En 1882, l'enseignement devint obligatoire pour tous les enfants, garçons et filles. Mais les programmes scolaires sont longtemps restés différents pour les filles et les garçons.

▷ Décris cette classe et compare-la à la classe de garçons p. 173.

Marie Curie, 1907

Malgré les difficultés, quelques femmes sont parvenues à faire des études et à occuper des postes importants. Ainsi, Marie Curie a, avec son mari, découvert le radium. Pour cela, tous deux ont reçu le prix Nobel de chimie en 1903.

▷ Décris Marie Curie et son laboratoire.

▷ Marie Curie aurait-elle pu découvrir la radioactivité si elle n'était pas allée à l'école ?

▷ Cherche dans un dictionnaire pourquoi les femmes suivantes sont célèbres :
– Flora Tristan,
– George Sand,
– Louise Michel,
– Camille Claudel.

→ 2 Le combat pour l'égalité dans la famille

Photographie humoristique, 1901

Traditionnellement, de retour de son travail, la femme s'occupait du ménage et des repas, tandis que le mari se reposait de sa journée en lisant le journal.

▷ Décris cette scène.

▷ À ton avis, quel est le message de cette photographie ?

▷ Les femmes sont restées sous la tutelle de leur mari jusqu'en 1938. Calcule combien de temps s'est écoulé depuis cette date.

↓ 3 Le combat pour les droits politiques

Manifestation féministe, 1910

À la fin du XIXᵉ siècle, en Grande-Bretagne puis en France, des femmes se mobilisèrent pour réclamer le droit de vote : on les a appelées les « suffragettes ».

▷ Décris ces personnes, leur attitude, leurs revendications…

▷ Lis ce qui est écrit sur leurs pancartes. Quels sont leurs arguments ?

65 L'Europe se tourne vers le monde

1 Des explorateurs La mission Marchand en Afrique, journal *L'Impartial de l'Est*, 1889

> Décris cette expédition : le lieu, l'explorateur, les personnes qui l'accompagnent.

Récit de voyage. Vers deux heures, alors que je me trouvais à l'avant de ma pirogue, nous arrivons à la hauteur d'un village. Tous les sauvages sont sur la rive, peints et en armes. Aussitôt accosté, je force mes hommes à amener le bateau vers la terre. Je saute à terre, sans armes, et, profitant de l'effet de surprise, je cours vers le chef dont je relève le fusil braqué sur moi, en lui disant : « Tu vois bien que je suis sans armes et que je viens en ami. » Il se décide à me tendre la main, tout en tremblant très fort. Mon interprète s'évertue à répéter mes phrases.

D'après A. Marche, *Gabon*, 1877

> Raconte cette histoire avec tes propres mots.

> Sur la carte 22, situe les régions connues des Européens au début du XIXᵉ siècle puis celles explorées au XIXᵉ siècle.

> À ton avis, qu'est-ce qui rendait les explorations difficiles ? dangereuses ?

Des explorateurs

Les navigateurs du XVᵉ siècle avaient permis aux Européens de parcourir les océans, de faire le tour de la planète et de connaître l'ensemble des régions côtières. Au XIXᵉ siècle, des hommes ont exploré l'intérieur des continents, qu'ils ne connaissaient pas : l'Amérique du Sud, l'Australie, certaines régions d'Asie et surtout l'Afrique. Pour cela, ils ont traversé les déserts, franchi des forêts et remonté les fleuves (doc. 1)…

Des émigrants

De 1815 à 1914, près de 50 millions d'Européens ont émigré pour s'installer en Amérique, en Australie, en Afrique du Sud et du Nord (carte 22). Certains voulaient échapper à la pauvreté et au chômage dus à l'explosion démographique et au progrès du machinisme. D'autres fuyaient les persécutions religieuses (comme les juifs de Russie) ou politiques (comme certains socialistes dans les régimes autoritaires). D'autres encore avaient soif

Témoignage. Le navire accosta, et le défilé commença. Italiens, Slovaques, Russes, Hollandais, Arméniens, Juifs, Allemands, Roumains, Hongrois, Grecs, des jeunes gens, des vieillards, des enfants, des femmes. Tous sont encombrés de paquets mal ficelés, de caisses sans couvercles, de valises bondées, de ballots éventrés qu'ils portent à la main, sur leur dos ou sur leur tête. C'est une foule grouillante d'ouvriers, ouvrières, paysans, domestiques, qui portent toute leur fortune dans ces paquets, des gens rejetés par la malchance loin de leurs ingrates patries. On les bouscule, on les presse, ils ne disent pas un mot, comme hébétés par les quinze jours de mer. On ne laissera pénétrer en Amérique que ceux qui peuvent vivre sans avoir recours à la charité publique. S'ils se trouvent sans argent ni relation en Amérique, s'ils sont vieux ou malades, on les renvoie d'où ils viennent. Mais un homme jeune, bien portant, avec une profession n'est jamais refusé, même s'il n'a pas d'argent et ne connaît personne.

D'après Jules Huret, *En Amérique*, **1905**

Pour voyager, les migrants empruntaient de gigantesques paquebots. Les riches louaient de luxueuses cabines, tandis que les pauvres s'entassaient dans des dortoirs insalubres.

▷ Décris ce paquebot.
▶ Cherche pourquoi le *Titanic* est célèbre.

▷ D'après ce texte, comment les migrants étaient-ils accueillis aux États-Unis ?
▶ À ton avis, pourquoi le contrôle était-il si strict ?

d'aventure ou partaient dans l'espoir d'une vie meilleure, vers un pays dans lequel, pensaient-ils, il serait facile de réussir. Leur voyage à bord de grands paquebots durait de longues semaines. Au terme de leur périple, certains émigrants trouvaient du travail et s'intégraient (doc. 2). Les autres continuaient leur périple, à l'intérieur des terres, comme aux États-Unis où nombre de migrants sont partis s'installer dans le Far West (l'Ouest), alors presque inhabité et où l'on distribuait des terres aux colons (texte p. 186).

Des affaires

Les Européens ont également entrepris de vendre leurs productions, notamment les produits manufacturés, aux peuples lointains, et diffusé leurs techniques aux quatre coins du monde. Ils ont développé leur commerce maritime (multiplié par six au cours du XIXᵉ siècle), prêté de fortes sommes d'argent à certains pays pour les inciter à se moderniser et dirigé la construction de grandes voies ferrées en Asie et en Afrique.

66 La colonisation

↑ 1 L'expansion coloniale *La prise de Sôn Tay* en Indochine, gravure, 1883

▷ Décris cette scène : les combattants, leurs vêtements, leurs armes, leur attitude…

▶ À ton avis, pourquoi les Européens ont-ils été vainqueurs partout où ils combattaient ?

▶ Cherche par quels autres moyens les Européens pouvaient prendre le contrôle d'un territoire lointain.

▷ Sur la carte 23, situe l'Indochine. Par qui a-t-elle été colonisée ?

▷ Trouve et nomme les autres colonies de la France.

L'expansion coloniale

Les Européens étaient installés par endroits, le long des côtes africaines et asiatiques, et contrôlaient les routes maritimes du commerce. Au cours du XIXe siècle, la Grande-Bretagne, la France et d'autres États européens ont étendu leur influence en Afrique et en Asie. Ils voulaient s'y procurer des matières premières dont leur industrie avait besoin. Ils souhaitaient affirmer leur puissance en prenant le contrôle d'un maximum de territoires. Ils pen-

saient aussi qu'il était de leur devoir d'apporter « la civilisation et le progrès » au reste du monde. Ils conquirent certains territoires, comme en Algérie de 1830 à 1847, ou firent signer des traités aux souverains et aux chefs traditionnels (doc. 1 et carte 23).

La période coloniale

Chaque puissance coloniale organisa ses colonies pour y diffuser sa culture et ses valeurs et en tirer un maximum de profit. Les Européens obligèrent les

▷ Décris cette scène : le lieu, les personnes, leur travail…

▷ Le travail était-il difficile ?

▷ À ton avis, à quoi servaient les chemins de fer construits dans les colonies ?

Manuel scolaire. La France est une des premières nations colonisatrices : son empire colonial, immense, occupe le deuxième rang dans le monde après celui de l'Angleterre. Les conquêtes de la France ont eu une très grande utilité pour notre patrie : au point de vue économique, les colonies achètent à la métropole ses produits industriels et lui fournissent les matières premières (sucre de canne, riz, coton, laine, caoutchouc, ivoire) ; elles favorisent la marine marchande ; au point de vue militaire, elles offrent à notre flotte de guerre des lieux de refuge et des points d'appui.

Extrait d'un manuel de géographie du cours moyen, 1902

▷ D'où ce texte est-il extrait ? À qui était-il destiné ?

▷ Regarde la carte 23 : quel pays possédait le plus de colonies ?

▷ Nomme et situe les colonies françaises.

indigènes à travailler dans les mines, dans les plantations créées par des colons ou à cultiver certaines plantes pour eux (coton, arachide pour l'huile, café…). Pour exporter ces produits vers l'Europe, ils firent construire des routes, des voies de chemin de fer et des ports (doc. 2). Les indigènes étaient soumis à l'administration coloniale, devaient payer des impôts et subissaient des sanctions physiques. Les missionnaires présents dans les colonies ouvrirent des écoles et des centres de santé pour venir en aide aux populations (pp. 182-183).

LEXIQUE

● **un colon** : une personne qui vit dans une colonie.

● **une colonie** : un territoire dirigé et exploité par un pays étranger.

● **les indigènes** : les personnes originaires d'une autre civilisation (terme souvent péjoratif).

● **les missionnaires** : les prêtres, les religieux et les pasteurs qui consacrent leur vie à convertir au christianisme des populations loin de leur pays.

DOSSIER
La vie dans les colonies

La colonisation a profondément bouleversé la vie des peuples colonisés.

↓ 1 Une présence au quotidien Les Français en Algérie, *Le Petit Journal illustré*, 1906

Même dans des régions reculées, comme ici, dans une oasis du Sahara, les « indigènes » ont vu les Européens s'implanter et prendre le contrôle de leur vie quotidienne.

▶ Décris cette scène.

▶ À quoi reconnais-tu le colon européen ?

▶ À ton avis, à quoi servaient les dromadaires présents dans cette oasis ?

→ 2 De nouvelles activités

Les Français à Madagascar, *Le Petit Journal illustré*, début du XXᵉ siècle

Les Européens ont imposé aux peuples colonisés la culture de certains produits destinés aux Européens (café, huile, coton...) et leur ont fait adopter de nouvelles méthodes de production : ici, des Européens expliquent aux « indigènes » comment ils devront travailler.

▶ Décris cette scène.

▶ À quoi reconnais-tu les colons européens ?

▶ Trouve un point commun dans leur habillement avec celui du colon ci-dessus.

▶ Dans la plupart des colonies, une grande partie des terres a été consacrée aux cultures destinées à l'Europe : à ton avis, quelle conséquence cela a eu sur l'alimentation des colonisés ?

→ 3 Un nouveau mode de vie

Dispensaire au Cameroun, début du xxᵉ siècle
École au Niger (Afrique occidentale française, AOF), vers 1908-1909
Construction d'une église catholique en Centrafrique (Afrique équatoriale française, AEF) vers 1900

▷ Décris chacune de ces photographies.

▷ Cherche une motivation économique et une motivation humanitaire qui peuvent expliquer pourquoi les Européens ont créé des dispensaires et des écoles dans leurs colonies.

▷ Quelles étaient les motivations des missionnaires qui s'installaient dans les colonies ?

▷ Fais une ou deux phrases pour expliquer en quoi la présence des Européens dans les colonies a profondément transformé la vie des peuples colonisés.

▷ Sur la carte 23, trouve par quelles puissances européennes les différents pays présentés sur cette double page ont été colonisés.

page 148
1 L'art : l'impressionnisme Claude Monet, peintre français, *La Grenouillère*, 1869

Les impressionnistes ne peignent pas nettement les contours mais rendent, par petites touches de couleur, les lumières, le mouvement et l'impression.

▷ Décris ce tableau : la scène, mais aussi la manière dont l'artiste a représenté les arbres, l'eau, les personnes.
▷ Décris le tableau p. 148 : la scène, mais aussi la manière dont l'artiste a représenté ce paysage industriel.
▷ Quelle impression se dégage de chacun de ces tableaux ?

L'art

Au XIXᵉ siècle, l'art a beaucoup évolué suivant plusieurs mouvements successifs : le romantisme, le réalisme, l'impressionnisme puis le cubisme.

Au début du siècle, les romantiques exprimaient des sentiments comme la passion et exaltaient des valeurs comme la liberté. Ce mouvement inspira des romans et les poèmes dans lesquels les sentiments, les émotions et les souffrances étaient longuement décrits (le Français Victor Hugo, l'Allemand Goethe) (doc. 2 et textes pp. 162 et 170).

Puis le romantisme céda le pas au réalisme, qui décrivait la réalité telle que les artistes la voyaient : ainsi, dans ses romans, Émile Zola décrivait la vie des plus riches comme celle des plus pauvres, sans excès de sentiments (textes pp. 151, 163 et 164).

Les peintres impressionnistes ont ensuite cherché à représenter non le paysage comme ils le voyaient mais l'impression qu'ils éprouvaient en le regardant (doc. 1 et p. 165).

Au début du XXᵉ siècle, les cubistes ont poussé ce travail sur l'impression en s'inspirant de l'art africain et en travaillant sur des formes géométriques (doc. 3).

→ 2 L'art : le romantisme

▷ Quel sentiment ce texte décrit-il ?

▷ Quelles expressions l'auteur emploie-t-il pour traduire la force de ce sentiment ?

Roman. Oh quel feu court dans toutes mes veines lorsque par hasard mon doigt touche le sien, lorsque nos pieds se rencontrent sous la table ! Je me retire comme du feu ; mais une force secrète m'attire à nouveau. Ah ! Son innocence, la pureté de son âme ne lui permettent pas d'imaginer combien les plus légères familiarités me mettent à la torture. Lorsqu'en parlant elle pose sa main sur la mienne, que dans la conversation elle se rapproche de moi, que son souffle céleste m'atteint, alors je crois que je vais disparaître, comme si j'étais frappé par la foudre.

Goethe, *Les Souffrances du jeune Werther*, 1774

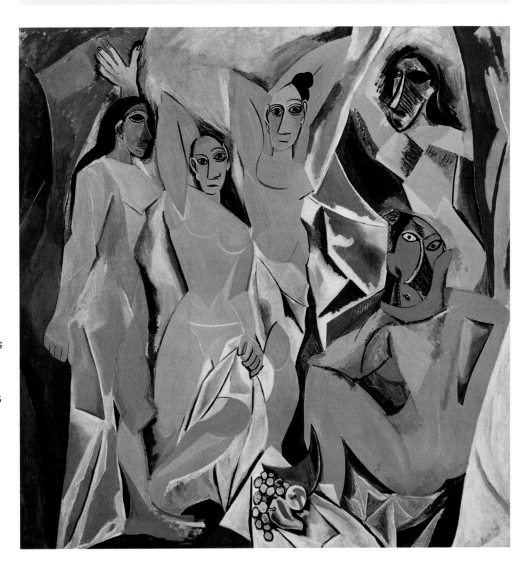

→ 3 L'art : le cubisme

Pablo Picasso, peintre espagnol, *Les Demoiselles d'Avignon*, 1907
L'artiste a utilisé des formes géométriques pour représenter ces femmes.

▷ Décris ce tableau : ce qu'il représente mais aussi la manière dont l'auteur l'a réalisé.

▷ Quelle impression s'en dégage ?

À la fin du XIXᵉ siècle, une forme musicale nouvelle, le jazz, fondée sur une utilisation différente du rythme et sur l'improvisation, a été créée par des musiciens noirs aux États-Unis.

La culture

L'art du XIXᵉ siècle a profité, en Europe, d'une grande popularité. En effet, le développement de l'instruction a permis à un public plus large de s'intéresser à l'art, ce qui a favorisé l'essor des livres et de la presse, la naissance des magazines et de la bande dessinée. Les grandes villes se sont dotées de musées. De nouveaux loisirs sont apparus, comme le cirque, la fête foraine, le cinéma mais aussi les rencontres sportives, avec la reprise des jeux Olympiques en 1896 et le Tour de France cycliste en 1904. C'est le début de la civilisation des loisirs et de la culture de masse (pp. 186-187).

LEXIQUE

• **la culture de masse** : la culture destinée à un large public issu de différentes classes sociales.

Le XIXᵉ siècle (1815-1914)   **185**

L'essor des livres et les journaux

Au XIXe siècle, le développement de l'instruction entraîna celui de la lecture, avec un engouement du public pour les livres et l'essor de la presse.

L'essor des livres

→ 1 Le goût de la lecture

Auguste Renoir, *La Liseuse*, vers 1874-1876

▷ Décris ce tableau : la femme mais aussi la manière dont l'artiste l'a représentée.

▷ Pourquoi les gens du Moyen Âge lisaient rarement ? et ceux du début du XIXe siècle ?

↓ 2 Le goût de l'aventure

Les lecteurs du XIXe siècle se passionnaient pour les romans d'aventures : voyages imaginaires ou réels, récits autobiographiques ou romans décrivant la réalité.

Roman, Grande-Bretagne. Cette nuit, la nouvelle si impatiemment attendue éclata comme un coup de foudre et, l'élançant à travers l'Océan, elle courut sur tous les fils télégraphiques du globe : « Le projectile lancé par la Columbiad le 12 décembre, à huit heures quarante-sept minutes du soir, est passé à côté de la Lune. » Grâce au courage et au dévouement de trois hommes, cette entreprise, assez futile en apparence, d'envoyer un boulet à la Lune, venait d'avoir un résultat immense.

D'après J. Verne, *De la Terre à la Lune*, 1865

Récit autobiographique d'une migration vers le Far West aux États-Unis. Il y a très longtemps, Papa, Maman, Marie, Laura et Carrie quittèrent la maison où ils vivaient. Ils montèrent dans un chariot bâché et s'en allèrent vivre au loin en pays indien. Tous les objets de la petite maison avaient été empilés dans le chariot, à l'exception des lits, des tables et des chaises : Papa en fabriquerait d'autres à l'arrivée. Ils roulèrent longtemps. Le bourg, derrière eux, devint tout petit et finit par n'être plus qu'un point. Il n'y eut plus autour d'eux qu'une immense étendue où régnait le silence. Ils roulèrent à travers les plaines, là où il n'y a plus de chemin. Les chevaux avaient de l'herbe jusqu'au poitrail. Un jour, Papa cria « Ho ! ». Le chariot s'arrêta. « Nous y voilà, dit-il. C'est ici que nous construirons notre maison. »

D'après Laura Ingalls Wilder, *La Petite Maison dans la prairie*, 1932

Roman, États-Unis. Elle alla vers un tiroir, fit un paquet de vêtements pour son enfant. Elle eut de la peine à faire lever le petit dormeur. Ouvrant la porte de sa chambre, elle sortit sans bruit. C'est une nuit étincelante, froide, étoilée. Au bout de quelques minutes, elle arriva à la case de l'oncle Tom.
« Je m'enfuis, père Tom, emportant mon fils ; monsieur l'a vendu.
– Vendu...
– Oui, vendu ! J'ai entendu Monsieur dire à Madame qu'il avait vendu mon Harry... et toi aussi, Tom ! Pourquoi ne t'en vas-tu pas aussi ? Veux-tu attendre qu'on te porte de l'autre côté de la rivière, où l'on fait mourir les nègres de fatigue et de faim ? Je vais essayer de gagner le Canada. »

Harriet Beecher Stowe, *La Case de l'oncle Tom*, 1851

▷ Lequel de ces récits raconte une histoire vraie ? une histoire inventée mais une réalité de la société ? une aventure totalement imaginaire pour l'époque ?

▷ Quelle est la différence entre une autobiographie et un roman ?

L'essor de la presse

→ ## 3 La presse populaire

Ch. Pezeu Carlopez, *Les Petits Métiers de Paris*, 1905

La presse s'est développée dans la seconde moitié du XIXᵉ siècle, grâce à la liberté de la presse, à l'essor de la lecture et à la création de journaux à petit prix, accessibles au plus grand nombre.

▷ Décris ce kiosque à journaux, la marchande, ses journaux...

4 La presse à sensation

Les journaux populaires ont consacré de nombreuses pages aux événements sensationnels : exploits, voyages, mais aussi accidents, crimes... Pour gagner des lecteurs, certains publiaient des romans en feuilletons et les premières bandes dessinées.

LA TRAVERSÉE DU PAS-DE-CALAIS EN AÉROPLANE
Blériot atterrit sur la falaise de Douvres

▷ Décris la une de ce journal : le titre, l'illustration, la légende...
▷ Quel événement est rapporté ici ?
▷ En quoi était-ce un exploit ?

5 La presse politique

Les journaux ont largement rapporté les grandes affaires politiques, dont certaines, comme l'affaire Dreyfus, ont passionné le public : en 1898, l'écrivain Émile Zola a fait paraître un article défendant le capitaine Dreyfus, un officier qui, parce qu'il était juif, était accusé de haute trahison.

▷ Quel est le titre de l'article d'Émile Zola ?
▷ Dans quel journal est-il paru ?
▷ À qui s'adressait-il ?
▷ Que sais-tu d'Émile Zola ?
▷ Cherche dans un dictionnaire ce que l'on appelle l'antisémitisme.

6 Le XXᵉ siècle et le monde actuel

de 1914 à nos jours

sommaire

68	**La Première Guerre mondiale**	190
Dossier	Les Poilus dans les tranchées	192
69	**La montée de la violence**	194
70	**La Deuxième Guerre mondiale**	196
71	**L'antisémitisme et le génocide**	198
72	**La France dans la guerre**	200
Dossier	Collaboration et Résistance	202
73	**Construire la paix**	204
74	**La persistance des violences, et de l'exclusion**	206
Dossier	Des voix contre la violence et l'intolérance	208
75	**Les décolonisations**	210
76	**Les progrès scientifiques et techniques**	212
77	**La Cinquième République**	214
78	**La société européenne et française**	216
Dossier	L'évolution du mode de vie	218
79	**Une nouvelle place pour les femmes**	220

Fritz Gerhke, *Première Guerre mondiale*, 1915

68 La Première Guerre mondiale 1914-1918

↓ 1 Une guerre mondiale

Discours. Citoyens, jamais depuis quarante ans, l'Europe n'a été dans une situation plus tragique que celle où nous sommes à l'heure actuelle. Si l'Autriche envahit la Serbie, la Russie qui éprouve une sympathie profonde pour les Serbes entrera dans le conflit, et si la Russie intervient pour défendre la Serbie, l'Autriche, au nom de l'alliance qui l'unit à l'Allemagne, prendra place sur les champs de bataille à ses côtés. Alors, suivant le traité qui la lie à la France, la Russie demandera que la France vienne prendre place à ses côtés, et c'est l'Europe en feu, c'est le monde en feu.

D'après le dernier discours de Jean Jaurès, 25 juillet 1914

↓ 2 Une guerre totale : sur les mers

Bataille sur la mer du Nord, 1914

▷ Décris cette bataille : le lieu, les bateaux.
▷ Sur la carte 24, situe la mer du Nord.
▷ Quels progrès techniques du XIXe siècle ont permis, au XXe siècle, de se battre ailleurs que sur les champs de bataille, sur la terre ferme ?

▷ Lis le texte et explique-le avec tes mots.
▷ Quels sont les camps en présence ? Comment la guerre va-t-elle se propager ?
▷ Sur la carte 24, trouve quels pays, hors d'Europe, ont été concernés par la guerre.
▷ Qui est l'auteur de ce texte ? Que sais-tu de lui ?

Une guerre mondiale

Au début du XXe siècle, l'Europe était déchirée par de profondes rivalités politiques, économiques et coloniales. Les pays européens se divisèrent en deux camps : l'Allemagne et l'Autriche-Hongrie d'un côté, la France, la Grande-Bretagne et la Russie de l'autre. En 1914, les tensions s'aggravèrent et déclenchèrent la guerre qui embrasa toute l'Europe (doc. 1). La guerre concerna l'Europe mais aussi les colonies, en Afrique, et, à partir de 1917, les États-Unis qui entrèrent en guerre aux côtés de la France et de la Grande-Bretagne (carte 24 et chronologie M).

Une guerre totale

Les combats terrestres prirent une ampleur considérable avec l'utilisation d'armes nouvelles comme les premiers chars d'assaut et les gaz asphyxiants (doc. 3 et pp. 190-191). Mais les combats ne furent pas seulement terrestres : ils se poursuivirent sur la mer avec les navires de guerre, sous la mer avec les premiers sous-marins et dans les airs avec les premiers bombardements aériens (doc. 2). En 1918, les Français et leurs alliés remportèrent la victoire. L'Allemagne fut contrainte de signer l'armistice le 11 novembre.

page 188 ↑ **3 Une guerre totale : sur la terre** Lance-flammes utilisé par les Français, 1917

▷ Décris la scène ci-dessus : le lieu, les soldats, leurs armes, la tranchée, l'atmosphère…

▶ À quoi vois-tu que les armées ennemies sont proches ?

▷ Décris l'attaque p. 188 : les soldats, leur uniforme, leurs armes, l'atmosphère…

→ **4 Une guerre meurtrière**

▷ Que raconte ce texte ?

▷ Relève le passage qui montre que l'auteur pense que cette guerre sera la dernière.

▶ Quels sont les sentiments de l'auteur ?

Témoignage. Lorsque sonnèrent les cloches de l'armistice, je me trouvais dans mon village. C'était une admirable journée d'automne. Quel calme ! Quelle sérénité ! Et c'est dans ce silence que s'éveilla le vol des cloches. C'en était à jamais fini. Le dernier « cessez-le-feu » avait sonné la fin de la dernière bataille. À dater de cette heure, les hommes n'épuiseraient plus la joie de se sentir vivants. Je me souvenais de notre départ cinquante-deux mois auparavant. Ces souffrances que nous pressentions, ces horreurs, ces massacres, nous savions à présent que leur réalité avait dépassé de bien loin tout ce que nous imaginions.

D'après Maurice Genevoix, *La Médaille militaire*, n° 460, 1988, © Société nationale des médaillés militaires

Une guerre meurtrière

La Première Guerre mondiale et ses conséquences ont influencé toute l'histoire du XXe siècle. La guerre a causé la mort de 9 millions de personnes, blessé des millions d'autres et est apparue aux yeux de l'opinion comme une véritable « boucherie ». Les destructions matérielles ont été si importantes que l'Europe est entrée en déclin, au profit des États-Unis. Beaucoup d'Européens ont alors pensé qu'il s'agissait du dernier conflit de l'histoire de l'humanité : la « der des ders » (dernière des dernières) (doc. 4).

Mais la défaite et les conditions imposées par le traité de paix ont humilié les Allemands, qui ont alors vécu avec l'espoir de se venger.

LEXIQUE

• **un armistice** : un accord entre des ennemis pour arrêter les combats.

• **un front** : la ligne formée par deux armées ennemies, face à face.

• **un traité de paix** : un accord négocié entre plusieurs pays pour mettre la paix en place.

• **une tranchée** : un fossé creusé dans lequel les soldats sont à l'abri de l'ennemi et peuvent tirer.

Les Poilus dans les tranchées

Pour se protéger et défendre leurs positions, les soldats français et allemands ont creusé des tranchées le long du front et s'y sont réfugiés des mois durant.

▽ 1 L'héroïsme

Témoignage. À deux heures et demie, un aéroplane allemand survole nos positions. Nous étions repérés et vingt minutes après, le premier obus éclatait à six pas de moi. Comme soufflé, j'ai été soulevé, projeté à cinq mètres, tout le corps anéanti, mes lorgnons couverts de sang. Mon bras plein de sang me semblait brisé. Je me suis levé sans prendre garde aux obus qui tombaient de seconde en seconde, un peu abruti, incapable d'articuler un son et j'ai marché. Des hommes étaient couchés sur la route, tous morts. J'ai vu mon lieutenant, debout sur le talus, pâle, plein de terreur, je lui ai montré ma tête d'où le sang coulait à flots, il m'a dit « Allez à l'ambulance » et m'a montré du doigt le chemin. J'ai couru. Quelle grêle d'obus ! J'en entends un au-dessus de moi, je me lance dans la tranchée vide d'où les hommes avaient fui et il éclate à un mètre de moi et ne me touche pas. Je me relève, je pars de nouveau. Je me disais : jamais je n'arriverai. Enfin l'ambulance. D'ici dix ou vingt jours, remis sur pied, je filerai probablement rejoindre l'armée.

D'après Jean de Pierrefeu à un ami, *L'Opinion* du 3 octobre 1914, cité par Anovi, www.grande-guerre.org

Lettre. Tu ne saurais croire l'héroïsme de nos soldats. Hier devait avoir lieu l'attaque d'une tranchée allemande. Au signal, les lieutenants s'élancent en criant : « En avant ! », « À l'assaut ! », « Pour la France » ; et l'un d'eux entonne *La Marseillaise*. Derrière eux, toute la section. Quel élan, quel enthousiasme pour ces hommes qui savent pourtant qu'ils n'ont aucune chance. Les lieutenants meurent, frappés à la tête. Les soldats tombent à leur tour. Impossible d'avancer. Les vivants se couchent et tentent d'amonceler de la terre devant leur tête pour se protéger des balles. Le commandant leur fait dire de se replier. Hélas, on ne peut ni avancer, ni reculer. Il faut attendre la nuit. Au soir, un blessé me dit : « Ce qu'il faut souffrir pour la France. »

Lettre du Dr Martin-Laval à sa sœur, 1915, cité dans J.-P. Guéno, Y. Laplume, J. Pecnard, *Paroles de poilus*, Tallandier, 1998

▷ Quelle est la nature de chacun de ces textes ? À qui sont-ils destinés ? Que disent-ils ?

▷ Quels passages montrent l'héroïsme des soldats ?

Monument aux morts à Paussac-St-Vivien (Dordogne)
Après la guerre, dans de nombreuses communes, on a mis en place un « monument aux morts » avec le nom des soldats morts durant la guerre.

▷ Décris ce monument aux morts.

▷ Pourquoi cherche-t-on à garder la mémoire des soldats morts pour la France ?

▷ Y a-t-il un monument aux morts dans ta commune ?

↓ 2 La vie dans les tranchées

Soldats dans les tranchées dans la Marne, 1916

Dans les tranchées, les soldats subissaient le froid, la pluie, le mauvais ravitaillement, les tirs d'obus incessants et les jets de gaz de la part de l'ennemi. Comme ils se trouvaient dans l'impossibilité de se laver et de se raser, ils furent surnommés les « poilus ».

Lettre. Notre tranchée a une longueur de 100 mètres. Elle est profonde d'un mètre et la terre a été jetée devant, si bien que l'on peut passer debout sans être vu. Elle est très étroite et par endroits, on a creusé plus largement pour pouvoir se croiser quand on se rencontre. Dans le fond, on creuse de petites caves où un homme peut se coucher pour se protéger des obus.

D'après Adolphe Wegel, 1915, cité dans J.-P. Guéno, Y. Laplume et J. Pecnard, *Paroles de poilus*, Tallandier, 1998

Lettre. Voici comment se passent nos nuits. À 8 heures 1/2, la canonnade s'arrête peu à peu. Le silence règne enfin. On entend les pas des soldats, les roulements des caissons de ravitaillement. Défense d'allumer des feux. On mange froid et l'on se couche, à même le sol. On dort tout équipé. Pas de couverture. Des loques humaines couchées en désordre. Une heure du matin. Bing ! Un coup de feu. Bing ! Un autre coup. Une fusillade éclate. L'ennemi attaque comme toutes les nuits, pour nous fatiguer. Quel réveil de cauchemar !

Lettre de Jean de Pierrefeu à un ami, 1914, cité par Anovi, www.grande-guerre.org

Lettre. Voilà près d'un mois que je ne me suis ni déshabillé, ni déchaussé ; je me suis lavé deux fois : dans une fontaine et dans un ruisseau près d'un cheval mort ; je n'ai jamais approché un matelas ; j'ai passé toutes mes nuits sur la terre. On dort un quart d'heure de temps en temps. On dort debout, à genoux, assis, accroupis et même couché. On dort sur les chemins, dans les taillis, dans les tranchées, dans les arbres, dans la boue. On dort même sous la fusillade. Le silence seul réveille.

Lettre d'André Fribourg au journal *L'Opinion*, 1915, cité par Anovi, www.grande-guerre.org

Lettre. C'est l'averse. Accroupis dans la tranchée, nous attendons. L'uniforme s'imprègne brin à brin. Après trois heures, je sens comme un doigt froid sur ma chair. C'est l'eau qui pénètre. Manteau, veste, chandails, chemise ont été traversés. Après quinze heures, il pleut. La nuit froide glace l'eau dont nous sommes revêtus. Après vingt-quatre heures, il pleut. La canonnade redouble. Je me baisse, je me couche au fond de la tranchée, dans l'eau.

Lettre d'André Fribourg au journal *L'Opinion*, 1915, Cité par Anovi, www.grande-guerre.org

Lettre. Je viens de déjeuner, mais qu'est-ce qu'une demi-boule de pain pour une journée ! J'en ai mangé la moitié et j'ai encore plus faim. Rien que le matin, il me faudrait la boule entière ! Le froid aiguise terriblement l'appétit.

Lettre d'Étienne Tanty, 1914, cité par Anovi, www.grande-guerre.org

▷ Décris cette photographie : la tranchée, les soldats, leur équipement…

▷ Quelle est la nature de chacun de ces textes ? À qui sont-ils destinés ? Que disent-ils ?

▷ Que nous apprennent-ils sur la vie des soldats dans les tranchées ?

▷ Relève toutes les difficultés évoquées par ces soldats.

▶ À ton avis, à quels autres problèmes étaient-ils confrontés ?

▶ Certains soldats ont cherché à déserter ou se sont blessés volontairement pour ne plus avoir à combattre : qu'en penses-tu ?

1 La montée de la terreur : le Goulag Travail forcé pour les prisonniers politiques russes, 1939

Rapport officiel. Le camp compte 4 400 détenus. Les prisonniers condamnés pour s'être opposés à la révolution sont enfermés avec les droits communs. Les conditions de vie des prisonniers sont très difficiles ; le camp n'a de logements que pour 23 % des prisonniers. Ils sont donc incroyablement entassés et ont donc tous des poux. 1 500 prisonniers sont logés dans des porcheries, des étables, des écuries… 40 % dorment sur le sol, sans paillasses.

D'après un officier russe, 1941, cité par N. Werth et G. Moullec, *Rapports secrets soviétiques*, Gallimard, 1994

▷ D'après le texte, qui se trouvait dans les camps de l'URSS ? Quelles étaient les conditions de vie des prisonniers ?

▷ Décris les conditions de travail des prisonniers sur la photographie.

2 La montée de la terreur : le nazisme

▷ Lis le texte et explique-le.

▷ À quoi son auteur compare-t-il les peuples non allemands ?

▷ Relève les passages qui montrent le racisme des nazis.

Discours. Le sort d'un Russe, comme celui d'un Tchèque, m'est totalement indifférent. Que les autres nations meurent de faim ne m'intéresse que parce que nous avons besoin d'esclaves. Si dix mille femmes russes tombent d'épuisement en creusant un fossé, je ne m'intéresse qu'au fossé. Nous ne serons jamais brutaux lorsque cela ne sera pas indispensable. Nous, Allemands, qui sommes les seuls au monde à avoir une attitude correcte envers les animaux, nous aurons également une attitude correcte envers ces animaux humains. Mais ce serait un crime contre notre race de nous soucier d'eux. Notre souci, notre devoir, c'est notre peuple, c'est notre race.

D'après Himmler, ministre de l'Intérieur en Allemagne, 1943

La montée de la terreur

Les difficultés provoquées par la Première Guerre mondiale et par les conditions de la paix ont, après la guerre, poussé certains pays européens à tourner le dos à la démocratie et à évoluer vers des dictatures, dans lesquelles les dirigeants suspendaient les libertés, emprisonnaient ou faisaient tuer les opposants et imposaient leurs idées par la terreur.

Ce fut le cas en Russie où, en 1917, lassés par les combats et l'autorité des tsars (empereurs), les communistes organisèrent une révolution. Staline imposa bientôt une dictature personnelle et un régime de terreur, et envoya les opposants dans des camps de travail : le « Goulag » (doc. 1).

Ce fut également le cas avec les nationalismes, notamment le fascisme en Italie et le nazisme en Allemagne. Hitler établit en Allemagne une dictature qui prônait des idées racistes. Il affirmait que les Allemands étaient supérieurs aux autres peuples et qu'ils devaient dominer toute l'Europe (doc. 2, carte 25 et chronologie M).

▷ Décris cette photographie :
Hitler dans la voiture, à gauche ;
Mussolini, à droite ; leur attitude ;
celles des gens qui les saluent,
l'atmosphère de la rue...

▷ Lis le texte et explique-le.
▷ Quels sont les projets de Hitler ?
▷ Quelle phrase indique que la
guerre est imminente ?

Propos recueillis. Nous ferons croître une jeunesse devant laquelle le monde tremblera. Une jeunesse intrépide, cruelle. Elle saura supporter la douleur. Je ne veux en elle rien de faible ni de tendre. Je la ferai dresser à tous les exercices physiques. Je ne veux aucune éducation intellectuelle. Le savoir ne ferait que corrompre mes jeunesses. La seule science que j'exigerai de ces jeunes gens, c'est la maîtrise d'eux-mêmes. Ils apprendront à dompter la peur. L'Allemagne ne sera véritablement l'Allemagne que lorsqu'elle sera l'Europe. Tant que nous ne dominerons pas l'Europe, nous ne ferons que végéter.

D'après Hermann Rauschning, *Hitler m'a dit*, Somogy, 1945.

La marche à la guerre

Après la Première Guerre mondiale, les peuples européens ont pensé que la paix était rétablie pour toujours et que plus personne n'aurait recours à la violence. En réalité, les tensions sont demeurées vives entre les États européens. En outre, Hitler avait le projet d'étendre la puissance allemande sur l'Europe et sur le monde (doc. 3). En 1938, soutenue par l'Italie et le Japon, l'armée allemande lança une offensive contre ses voisins (carte 25).

70 La Deuxième Guerre mondiale 1939-1945

↓ 1 Le début du conflit

> **Discours.** Je n'ai rien à offrir que du sang, du labeur, des larmes et de la sueur. Nous avons devant nous de longs, de très longs mois de lutte et de souffrance. Quelle est notre politique ? Faire la guerre, sur mer, sur terre et dans les airs, avec toute notre puissance ; faire la guerre contre une tyrannie monstrueuse, qui n'a jamais eu d'égale dans le sombre et lamentable catalogue des crimes humains. Quel est notre but ? La victoire, la victoire à tout prix, la victoire malgré toutes les terreurs, la victoire quelque longue et dure que puisse être la nuit.
>
> **D'après Winston Churchill, Premier ministre, aux députés britanniques, 1940**

▷ Quelle est la nature de ce texte ?
Qui en est l'auteur ? À qui est-il destiné ?

▷ Que dit Winston Churchill aux députés ?

▷ Relève les passages qui montrent sa détermination.

▷ Sur le planisphère 26, trouve qui étaient les alliés et les ennemis de la Grande-Bretagne au début de la guerre.

→ 2 La guerre mondiale et totale

Avion allemand au-dessus de Varsovie, Pologne, 1939

▷ Décris cette prise de vue.

▷ À ton avis, quelles sont les conséquences des bombardements ?

▷ Sur la carte 26, situe les pays entrés en guerre après le début de la guerre

Le début du conflit

En 1939, espérant mettre fin à l'expansion allemande en Europe, la France et la Grande-Bretagne déclarèrent la guerre à l'Allemagne (carte 26 et chronologie N). Mais les troupes allemandes continuèrent leur avancée et remportèrent des victoires fulgurantes en Europe de l'Ouest. En 1940, la France demanda l'armistice. En revanche, la Grande-Bretagne dirigée par Winston Churchill refusa de capituler et continua seule la lutte. Pendant des mois, elle subit d'incessants bombardements aériens (doc. 1).

Une guerre mondiale et totale

En 1941, l'Allemagne lança une offensive contre l'URSS, puis le Japon attaqua les États-Unis, tandis que le conflit s'étendait aux colonies : la guerre était devenue mondiale (carte 26). Les batailles se déroulaient sur terre, sur mer (navires et sous-marins), dans les airs (bombardements aériens) et touchaient autant les civils que les armées : la guerre était devenue totale (doc. 2). En 1942, l'Allemagne nazie exerçait sa domination sur presque toute l'Europe et y imposait une véritable tyrannie, multipliant les arrestations et les exécutions.

3 La victoire des Alliés

Affiche des Alliés après le débarquement en Afrique du Nord, 1943

Dans le plus grand secret, les Alliés organisèrent une gigantesque opération pour débarquer des troupes, du matériel, des véhicules en Afrique du Nord puis en Europe et reconquérir les territoires occupés par les Allemands.

▷ Décris cette affiche : les soldats, les forces militaires, le slogan…
▷ Quels pays alliés sont représentés par ces drapeaux ?
▷ Sur la carte 26, situe les lieux de débarquement des Alliés.

Article de presse. Plus de 360 000 personnes ont été tuées, blessées ou sinistrées à Hiroshima, le 6 août, et 120 000 autres ont été victimes de la seconde bombe, à Nagasaki, le 9 août. Depuis, de nombreux Japonais ont péri à la suite de leurs brûlures. Ceux qui semblaient en assez bonne santé pour en réchapper se sont affaiblis dans les jours qui ont suivi et souvent ils sont morts sans qu'on ait pu enrayer les effets inconnus de la bombe atomique.

D'après *Le Figaro*, 24 août 1945

LA VICTOIRE DES NATIONS UNIES EST MAINTENANT CERTAINE

▷ Lis le texte ci-contre et explique comment les Américains ont mis fin à la guerre avec le Japon.
▷ Relève dans ce texte les éléments qui montrent les conséquences des deux bombes atomiques sur la population.

La victoire des Alliés

À partir de 1943, les Alliés (Grande-Bretagne, URSS, États-Unis et ceux des Français qui refusaient l'armistice) ont arrêté l'avancée allemande et japonaise sur tous les fronts : en Europe de l'Est, en Afrique du Nord et dans le Pacifique. Les troupes américaines et britanniques ont débarqué et repoussé les Allemands en Europe de l'Ouest, tandis que les Soviétiques les repoussaient en Europe de l'Est. L'Allemagne capitula le 8 mai 1945. En août 1945, les États-Unis lâchèrent deux bombes atomiques sur le Japon pour le faire capituler à son tour (doc. 3).

LEXIQUE

● **une bombe atomique** : bombe qui utilise, en chaîne, l'énergie des atomes pour provoquer une gigantesque explosion.

● **capituler** : s'avouer vaincu, se rendre à l'ennemi.

● **la Libération** : la reconquête de l'Europe par les Alliés, en 1944 et 1945, qui a libéré un à un les pays de la tyrannie nazie.

● **une tyrannie** : un pouvoir excessivement autoritaire, une dictature.

→ 1 L'antisémitisme

Anne Frank, jeune allemande réfugiée aux Pays-Bas, avait 13 ans en 1942 quand elle commença à écrire son journal, précieux témoignage sur l'antisémitisme de l'époque.

▷ Quelles sont toutes les interdictions faites aux juifs en 1942 ?

▷ Explique la dernière phrase de ce passage.

Journal intime. Les juifs doivent porter l'étoile jaune ; les juifs doivent rendre leurs vélos, les juifs n'ont pas le droit de prendre le tramway ; les juifs n'ont pas le droit de circuler en autobus, ni même dans une voiture ; les juifs ne peuvent faire leurs courses que de trois heures à cinq heures ; les juifs ne peuvent aller que chez un coiffeur juif ; les juifs n'ont pas le droit de sortir dans la rue de huit heures du soir à six heures du matin ; les juifs n'ont pas le droit d'aller au théâtre et au cinéma ; les juifs n'ont pas le droit d'aller à la piscine ; les juifs ne peuvent pratiquer aucun sport en public. Les juifs n'ont pas le droit d'entrer chez des chrétiens ; les juifs doivent fréquenter des écoles juives, et ainsi de suite. Jacques me disait toujours : « Je n'ose plus rien faire, j'ai peur que ce soit interdit. »

D'après *Le Journal de Anne Frank*, 1942, © 1992, 2001 Calmann-Lévy

Jeunes Françaises portant l'étoile jaune, 1942

▷ Décris cette photographie : la rue, les personnes, leur attitude…

▷ Quelle mesure antisémite imposée par les Allemands est visible sur cette photographie ?

▶ En quoi l'antisémitisme est-il contraire à la Déclaration des droits de l'homme ?

L'antisémitisme

L'Allemagne nazie prônait la supériorité du peuple allemand sur les autres peuples et affirmait que les juifs étaient responsables de la plupart des difficultés de l'Allemagne. Pendant la Deuxième Guerre mondiale, les nazis ont pris des mesures visant à mettre les juifs à part et à les déposséder de leurs biens : ils n'avaient plus le droit de voter, devaient porter une étoile jaune sur leur vêtement dans la rue et ne pouvaient plus accéder aux lieux publics ni exercer certains métiers (doc. 1).

Le génocide

À partir de 1938, les nazis ont arrêté les juifs, en Allemagne puis dans les pays qu'ils ont envahis en Europe, et les ont déportés dans des camps de concentration. Là, hommes, femmes et même enfants étaient contraints à des travaux pénibles et à une vie très dure. À peine nourris, ils étaient soumis aux mauvais traitements et vivaient dans la terreur : la plupart tombaient malades et beaucoup en mouraient.

À partir de 1942, les nazis ont décidé d'exterminer

2 Le génocide Arrivée de juifs hongrois au camp d'Auschwitz-Birkenau, Pologne, juin 1944

▷ Décris cette photographie : le lieu, le train, la foule qui arrive, les soldats allemands, les anciens prisonniers reconnaissables à leur vêtement…

▷ Lis le texte de gauche et explique comment ces personnes étaient traitées.

▷ Lis le texte de droite et explique ce qui arrivait aux juifs déportés dans les camps de concentration et d'extermination.

▷ Quelle est la nature de ce second texte ?

▷ Que peux-tu en conclure sur le sort des responsables du génocide après la guerre ?

Témoignage. La troisième nuit, arrêt brutal. Les portes du train sont violemment ouvertes : « Raus ! Schnell ! » (« Dehors ! Vite ! ») Les enfants sont terrorisés. La situation est terriblement angoissante. Je marche le long de la voie ferrée, comme on nous l'ordonne. Il fait nuit, mais des projecteurs nous éclairent violemment. Un Allemand fait des gestes avec sa cravache, tantôt vers la droite, tantôt vers la gauche, pour séparer les gens en deux groupes, comme s'il s'agissait de bétail. Tous les enfants partent d'un côté, avec les personnes âgées. Des familles sont séparées, mari et femme, mère et enfant, frère et sœur. Ce sont des scènes déchirantes, mais les Allemands frappent violemment ceux qui sortent du rang.

D'après Denise Holstein, Je ne vous oublierai jamais, mes enfants d'Auschwitz, Éditions Calmann-Lévy, 1995

Procès. Je dirigeais le camp d'Auschwitz. En 1941, je reçus l'ordre d'organiser la « solution définitive de la question juive », c'est-à-dire l'extermination de tous les juifs d'Europe. Les exécutions massives par les gaz commencèrent en 1941 et se prolongèrent jusqu'en 1944. J'estime qu'au moins deux millions cinq cent mille victimes furent exécutées et exterminées par les gaz, puis incinérées ; un demi-million au moins mourut de faim ou de maladie, soit un chiffre total minimum de trois millions de morts. Les autres furent sélectionnés et employés au travail forcé dans les usines du camp. Les enfants en bas âge étaient systématiquement exterminés, puisqu'ils étaient incapables de travailler.

Témoignage de Rudolph Hess, conseiller de Hitler, au procès des dirigeants nazis à Nuremberg, 1945-1946

les juifs. Ceux qui se trouvaient dans les camps ont été maltraités jusqu'à en mourir. Ceux qui vivaient dans les pays conquis par l'Allemagne ont été pris dans des rafles et déportés en masse vers des camps où ils étaient exécutés dans des chambres à gaz (doc. 2). Ce génocide a causé la mort de plus de cinq millions de juifs ainsi que d'un million de Tziganes.

Après la guerre, les Alliés ont constitué un tribunal international pour juger les nazis responsables de ce génocide, considéré comme un « crime contre l'humanité » (doc. 2).

LEXIQUE

● **l'antisémitisme** : l'hostilité vis-à-vis des juifs.

● **un génocide** : l'extermination d'un groupe de personnes du fait de leurs origines ou de leur religion.

● **un camp de concentration** : un camp où l'on enferme des personnes en les soumettant au travail forcé et aux mauvais traitements.

● **déporter** : envoyer dans un camp de prisonniers.

● **exterminer** : tuer de manière systématique pour qu'il ne reste personne.

● **une rafle** : l'arrestation de nombreuses personnes en un même lieu.

1 L'armistice

Discours à la radio. Français, j'assume à partir d'aujourd'hui la direction du gouvernement de la France. Sûr de la confiance du peuple tout entier, je fais à la France le don de ma personne pour atténuer son malheur. C'est le cœur serré que je vous dis aujourd'hui qu'il faut cesser le combat. Je me suis adressé cette nuit à l'adversaire pour lui demander s'il est prêt à mettre un terme aux hostilités.

Maréchal Pétain, 17 juin 1940

▷ Quelle est la nature de ce texte ?
▷ Que dit son auteur ?
▷ Quels sont ses arguments ?
▷ Quels sont ses sentiments ?

Discours à la radio. Nous sommes submergés par l'ennemi. Mais la défaite est-elle définitive ? Non ! Car la France a un vaste empire. Elle peut faire bloc avec l'Empire britannique. Il y a, dans l'univers, tous les moyens nécessaires pour écraser un jour nos ennemis. Moi, général de Gaulle, j'invite les Français à se mettre en rapport avec moi. La flamme de la résistance ne s'éteindra pas.

Général de Gaulle à la radio, 18 juin 1940

▷ Quelle est la nature de ce texte ?
▷ Qui en est l'auteur ?
▷ Quels sont ses espoirs ?
▷ À qui lance-t-il cet appel ?

2 La collaboration

Entrevue à Montoire, 24 octobre 1940

FRANÇAIS !
J'AI RENCONTRÉ, JEUDI DERNIER LE CHANCELIER DU REICH....
C'EST LIBREMENT QUE JE ME SUIS RENDU A L'INVITATION DU FUHRER.
UNE COLLABORATION A ÉTÉ ENVISAGÉE ENTRE NOS DEUX PAYS...
J'EN AI ACCEPTÉ LE PRINCIPE...CETTE POLITIQUE EST LA MIENNE.
C'EST MOI SEUL QUE L'HISTOIRE JUGERA...SUIVEZ-MOI !
PHILIPPE PÉTAIN
EXTRAITS DU DISCOURS DU 30 OCTOBRE 1940.

▷ Décris la scène et explique la phrase au-dessous.
▷ Quelles sont les relations entre les deux hommes ?
▷ La collaboration de la France avec l'Allemagne, qui pratiquait une politique antisémite, est-elle conforme à la Déclaration des droits de l'homme ?

L'armistice

En juin 1940, écrasée par l'armée allemande, la France confia les pleins pouvoirs au maréchal Pétain, qui demanda l'armistice aux Allemands (doc. 1). Le pays fut coupé en deux : l'armée allemande occupa la moitié Nord, tandis qu'au sud la « zone libre » était placée sous l'autorité du maréchal Pétain (carte 26). Installé à Vichy, celui-ci instaura un régime autoritaire, supprima les libertés, les syndicats, le droit de grève et la liberté de la presse et fit arrêter les opposants. Ce fut la fin de la IIIᵉ République.

Certains Français refusèrent l'armistice et organisèrent la Résistance (doc. 1 et p. 203).

La collaboration

Pensant préserver la France des nazis, le gouvernement de Vichy accepta toutes leurs exigences. Il envoya des Français travailler dans les usines allemandes et des soldats combattre contre l'URSS. Il fournit des produits alimentaires et du matériel de guerre à l'Allemagne (doc. 2). Et surtout il collabora étroitement avec l'Allemagne dans sa politique antisémite. Il fit arrêter et déporter les juifs de

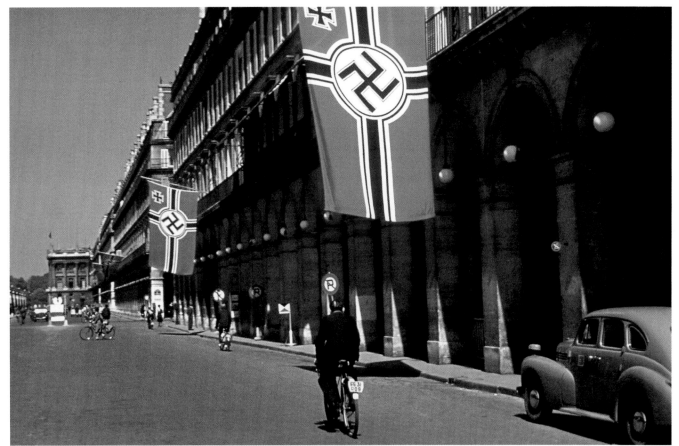

Témoignage oral. Mon emploi dans une biscuiterie me permettait de manger en cachette quelques biscuits pour calmer mes crampes d'estomac. Il fallait attendre de longues heures devant les magasins d'alimentation. Souvent, quand mon tour arrivait, il n'y avait plus rien ! Le pain était lourd, noir et collant. Nous échangions des recettes comme faire une salade au savon, récupérer de vieux pneus pour ressemeler nos chaussures. Il m'est souvent arrivé d'aller loin, avec un vieux vélo dont les pneus usés étaient consolidés avec de la ficelle, pour dénicher quelque ravitaillement supplémentaire. Nous avions une seule idée en tête : tenir le coup !

D'après C. L. Allosio, cité par S. Fishman, *Femmes de prisonniers de guerre*, L'Harmattan, 1996

▷ Décris la rue : les bâtiments, les drapeaux, les véhicules, l'atmosphère…

▷ Comment les nazis marquaient-ils leur présence sur Paris ? En quoi était-ce humiliant pour les Français ?

▷ Quelle est la nature de ce texte ? À qui est-il destiné ?

▷ Relève les éléments qui montrent les difficultés quotidiennes.

France dans les camps allemands (p. 202). Cette attitude n'empêcha pas les Allemands d'envahir la zone « libre » en 1942.

L'Occupation

La vie sous l'Occupation était très rude. L'armée allemande était présente partout. Les Français vivaient dans l'angoisse des bombardements, des arrestations et des exécutions. Ils souffraient également de la pénurie et du rationnement : on manquait de tout (pain, beurre, œufs, viande…) et certains essayaient de se procurer davantage à manger grâce au marché noir, au risque d'être pris par la police (doc. 3).

LEXIQUE

- **la Collaboration** : l'aide que la France a apportée aux nazis pendant la Deuxième Guerre mondiale.

- **le marché noir** : le marché clandestin, illégal.

- **le rationnement** : la limitation dans la distribution ou la vente de certains produits.

- **la Résistance** : pendant la Deuxième Guerre mondiale, les civils et les militaires qui ont continué à lutter, dans la clandestinité, contre les nazis.

Collaboration et Résistance 1940-1945

Pendant la guerre, la France a été partagée entre deux attitudes opposées : certains Français ont collaboré avec les Allemands, d'autres ont fait de la Résistance. Mais la plupart des Français essayaient surtout de survivre.

La collaboration

→ 1 Les mesures antisémites

Un square à Paris pendant la guerre

▷ Décris cette photographie : le lieu, les enfants, la pancarte.

▷ En quoi cette pancarte est-elle contraire à la Déclaration des droits de l'homme ?

▷ Que penses-tu de ces mesures antisémites ?

PARC À JEUX
RÉSERVE AUX ENFANTS

INTERDIT AUX JUIFS

↓ 2 Les déportations

Témoignage oral. Le 16 juillet, à l'aube, la police parisienne arrête, dans tous les quartiers de Paris et dans sa banlieue, près de treize mille Juifs. C'est une sauvage chasse au Juif : on arrête hommes, femmes et enfants à partir de l'âge de deux ans, on enfonce les portes, on fait des descentes dans les écoles. Les familles sont enfermées au vélodrome d'Hiver. Rien n'était préparé pour les accueillir : tous étaient parqués dans les gradins sans aucun moyen de couchage, presque sans nourriture, sévèrement rationnés en eau, avec des toilettes rapidement bouchées. Tous ces malheureux ont vécu cinq jours épouvantables dans un vacarme assourdissant fait de cris et de pleurs.

D'après un déporté de la rafle du Vel'd'Hiv',
cité par G. Wellers, *Un Juif sous Vichy*, Tirésias, 1991, © Tirésias-Michel Reynaud

Procès. Le gouvernement de Pétain n'a pu se maintenir qu'en collaborant avec Hitler. On vous a dit que s'il ne l'avait pas fait, la situation des Français eût été pire. 150 000 otages fusillés, 750 000 ouvriers mobilisés pour aller travailler en Allemagne, la déportation de 110 000 réfugiés politiques, 120 000 déportés raciaux, sur lesquels il n'en est revenu que 1 500. Je me demande comment la situation des Français eût pu être pire. Cette politique a jeté le doute sur la France, sur son honneur.

D'après le procureur général au procès du maréchal Pétain, 1945

▷ Quelle est la nature de ce texte ? Qui en est l'auteur ? Est-il un témoin direct de l'événement ?

▷ Quel passage de ce texte montre que ce sont les Français qui ont procédé à cette arrestation, et non les Allemands ?

▷ D'après la page 199, que sont devenus ces gens ?

▷ D'après le second texte, quels arguments Pétain utilisait-il pour justifier la collaboration ?

▷ Que répond le procureur (magistrat chargé de l'accusation) à ces arguments ?

▷ Que t'apprend ce document sur le sort du maréchal Pétain après la guerre ?

La Résistance

⬇ 3 La résistance civile

Article de presse. Les parents de Marie-Claude, Fernande et Paul Cahen, tenaient, à Soissons, un magasin. Le 4 janvier 1944, alors que la petite Marie-Claude se rend au collège, la Gestapo (police allemande) arrête ses parents. Fernande et Paul seront envoyés à Drancy puis déportés à Auschwitz. Grâce à la complicité de plusieurs parents et amis, Marie-Claude est cachée jusqu'au petit matin puis conduite chez un instituteur ami de ses parents. Quelques jours plus tard, Marie-Claude est confiée à Henri et Jeanne Cholet pour plus de sécurité. Jeanne Cholet connaît bien les Cahen puisqu'elle est employée depuis longtemps dans leur magasin. À la fin du mois de janvier, Cholet décide de conduire Marie-Claude chez une amie de sa mère à Chamonix, où elle restera jusqu'à la Libération. C'est ainsi que la jeune Marie-Claude traversera, en compagnie d'Henri Cholet, presque toute la France pour échapper aux camps de la mort où ont malheureusement été envoyés ses parents.

D'après *L'Aisne nouvelle*, 29 avril 1995

Certains Français se sont opposés à la politique antisémite des nazis et ont aidé des juifs à échapper à la déportation.

▷ Raconte cette histoire.
▶ À ton avis, que risquaient les personnes qui ont aidé Marie-Claude ?
▷ Ce texte a-t-il été publié à l'époque des faits ?
▶ Pourquoi ?

⬇ 4 La résistance militaire Un maquis en Haute-Loire (Massif Central), juin 1944

Lettre. Chers Parents, je meurs pour ma Patrie. Je veux une France libre et des Français heureux. Non pas une France orgueilleuse, première nation du monde, mais une France travailleuse et honnête. Que les Français soient heureux, voilà l'essentiel. Dans la vie, il faut savoir cueillir le bonheur. Pour moi, ne vous faites pas de soucis. Je garde mon courage et ma belle humeur jusqu'au bout. Les soldats viennent me chercher. Je hâte le pas. Mon écriture est peut-être tremblée ; mais c'est parce que j'ai un petit crayon. Je n'ai pas peur de la mort ; j'ai la conscience tellement tranquille. Quelle mort sera plus honorable pour moi que celle-là ? Je meurs volontairement pour ma Patrie. C'est dur quand même de mourir. Vive la France.

D'après Henri Fertet, 16 ans, le jour de son exécution, 1943,
cité par F. Marcot, *Les Voix de la Résistance*, Besançon, 1989

Au début de la guerre, une poignée de Français ont continué à se battre. Peu à peu, ils sont devenus plus nombreux et se sont organisés, sous la direction de Jean Moulin et du général de Gaulle. La plupart des résistants vivaient dans la clandestinité. Ils ont joué un rôle essentiel dans la Libération.

▷ Décris ces résistants : leur âge, leur habillement, leur équipement, leur attitude.
▶ Lis le texte et explique ce qui est arrivé à ce résistant.
▶ Que penses-tu de son courage ?

LEXIQUE

● **un maquis** : une zone difficile d'accès (une montagne, une forêt) dans laquelle les Résistants se cachent et se regroupent.

1 **Le traumatisme de la guerre** La ville de Saint-Lô dans la Manche, 1944

▷ Décris ce paysage et explique ce qu'il a fallu faire pour reconstruire cette ville.

▷ Explique cet article de journal et la stupeur des gens qui voient les rescapés des camps.

▶ En quoi la Deuxième Guerre mondiale a-t-elle représenté un traumatisme moral ?

Article de presse. 10 h 20, gare de Lyon… un train entre en gare. La foule attend 177 déportées françaises de retour du camp de Ravensbrück ! Quelques acclamations… Soudain la foule se tait… Elle comprend tout ce que représentent de privations et de misères, physiques et morales, ces visages maigres, ces yeux brillants et creux, cette allure fatiguée… Les parents, les amis sont là… On se retrouve avec une joie grave… Est-il vraiment possible que tout ce cauchemar soit fini ?

D'après *Le Parisien libéré*, **15-16 avril 1945**

Le traumatisme de la guerre

Le bilan de la guerre s'avéra effroyable. Cinquante millions de personnes avaient été tuées. Certains pays avaient été ravagés par les bombardements. La guerre a affaibli encore l'Europe : les États-Unis et l'URSS, grands vainqueurs, devinrent les deux puissances mondiales. Enfin, le traumatisme était également moral : le monde découvrait les actes de barbarie commis pendant la guerre, dans une Europe qui se considérait jusqu'alors comme la gardienne de la « civilisation » et de ses valeurs morales et humaines (doc. 1).

La paix dans le monde

Dans le but d'établir la démocratie et la paix dans le monde, les Alliés ont invité tous les pays du monde à s'unir, en 1945, pour fonder l'Organisation des Nations unies (ONU) (doc. 2 et chronologie N). Cette organisation est chargée de trouver des solutions pacifiques aux désaccords entre les pays et de maintenir la paix dans le monde. Elle est à l'origine de la Déclaration universelle des droits de l'homme. D'autres organismes, comme l'Unesco et l'Unicef, ont été créés pour permettre la coopération économique, culturelle… entre les États.

↓ 2 La paix dans le monde

Accord international. Nous, peuples des Nations Unies, résolus à préserver les générations futures de la guerre qui, deux fois en l'espace d'une vie humaine, a infligé à l'humanité d'énormes souffrances, à proclamer les droits fondamentaux de l'homme, à pratiquer la tolérance, à vivre en paix dans un esprit de bon voisinage, à faire en sorte qu'il ne soit pas fait usage de la force des armes, sauf dans l'intérêt commun, avons décidé d'associer nos efforts. En conséquence, nos gouvernements établissent une organisation internationale qui prendra le nom de Nations unies.

D'après la Charte de San Francisco créant l'ONU, 1945

Accord international.

Art. 1. Tous les êtres humains naissent libres et égaux.

Art. 2. Les droits et libertés sont valables pour tous, sans distinction de race, de couleur, de sexe, de langue, de religion, d'opinion, d'origine, de fortune…

Art. 7. Tous sont égaux devant la loi.

Art. 9. Nul ne peut être arbitrairement arrêté.

Art. 18. Toute personne a droit à la liberté de pensée, de conscience et de religion.

Art. 19. Tout individu a droit à la liberté d'opinion et d'expression.

Art. 21. La volonté du peuple doit s'exprimer par des élections au suffrage universel et au vote secret.

D'après la Déclaration universelle des droits de l'homme, ONU, 1948

▷ Qu'est-ce que l'ONU ? Pourquoi a-t-elle été créée ?

▷ Explique un à un les articles de la Déclaration universelle des droits de l'homme.

▶ Donne un exemple pour illustrer chacun d'eux.

▶ Compare ce texte à la Déclaration des droits de l'homme et du citoyen p. 135 et trouve quelques articles inspirés par la France.

↓ 3 La paix en Europe

Les dirigeants français (François Mitterrand) et allemand (Helmut Kohl) rendant hommage aux morts des deux guerres mondiales, 1984

▷ Quel message ces dirigeants ont-ils voulu faire passer ?

▷ Que sais-tu de la construction européenne ? En quoi a-t-elle contribué à apporter la paix en Europe ?

▷ Sur la carte 27, nomme et situe les pays membres de l'Union européenne.

La paix en Europe

Pour renforcer la paix en Europe, la France et l'Allemagne ont mis en place une étroite coopération sur le plan économique et commercial (doc. 3). En 1957, par le traité de Rome, elles ont fondé, avec quatre autres pays, la CEE (Communauté économique européenne) (chronologie N). Depuis, les pays de l'Europe ont renforcé leur lien et, en 1993, la CEE est devenue l'Union européenne. De nos jours, l'Union européenne rassemble la majeure partie des pays européens (carte 27), qui forment un espace de libre circulation des personnes, des marchandises et des services, et cherche à devenir une véritable force politique dans le monde.

> ### LEXIQUE
>
> ● **l'ONU (Organisation des Nations unies)** : organisation rassemblant la quasi-totalité des pays du monde dont l'objectif est de maintenir la paix et de défendre les droits des êtres humains.
>
> ● **l'Unesco** : l'organisation des Nations unies pour l'éducation, la science et la culture.
>
> ● **l'Unicef** : l'organisation de secours à l'enfance des Nations unies.

74 La persistance des violences et de l'exclusion

1 Un siècle de violences

Guerre des Balkans, 1999

▷ Décris cette photographie.

▶ Quelles armes servent de nos jours pour la guerre ?

▷ Lis ce texte et explique-le avec tes propres mots.

▷ Sur la carte 28, situe les pays évoqués par ce texte.

▷ Nomme et situe d'autres pays qui ont connu
des violences au XXᵉ siècle.

Article de presse. Quand on parle de génocide, c'est au Cambodge que l'on pense : en trois ans et demi, un million de morts – peut-être deux –, pour une population évaluée à sept millions d'âmes. Mais aussi un million, un million de morts au Rwanda. Enfants, femmes, hommes, tutsis et hutus, un million passé par les armes, par la machette, par l'horreur. Un Rwandais sur sept mort de la folie rwandaise.

Extraits de deux articles parus dans *Le Monde*, 14 juillet 1994

Un siècle de violences

Malgré les excès de la Deuxième Guerre mondiale, l'histoire récente a été marquée par une succession de guerres un peu partout dans le monde : des guerres civiles, des guerres régionales et des guerres opposant des pays de plus en plus éloignés.

Le siècle a également été marqué par de nouvelles formes de violence, comme le terrorisme qui consiste à commettre des actes de violence pour créer la peur.

Dans toutes ces agressions, les adversaires ont utilisé des armes responsables de massacres sans précédent (doc. 1). Dans bien des cas, ils se sont attaqués aux militaires mais aussi aux populations civiles : c'est ce que l'on appelle la « guerre totale ». Certaines guerres, notamment en Europe et en Afrique, ont donné lieu à d'effroyables génocides (carte 28).

→ 2 Un siècle d'exclusion

L'apartheid en Afrique du Sud, 1988

▷ Décris la photographie et explique la situation.

▷ À ton avis, de quand date la présence des Blancs dans cette région du monde ?

▷ À quels articles de la Déclaration universelle des droits de l'homme l'apartheid est-il contraire ?

▷ Sur la carte 28, situe l'Afrique du Sud.

Les wagons de première classe étaient réservés aux Blancs, ceux de seconde classe aux Noirs.

Camp de réfugiés kurdes en Turquie

Il y a plus de 50 millions de réfugiés dans le monde : sans argent, sans emploi, ils sont, pour la plupart, accueillis dans des camps provisoires.

▷ Décris la photographie : le campement, les personnes…

▷ Imagine leur vie quotidienne dans ce camp.

▷ À ton avis, quelles raisons ont pu les pousser à quitter leur pays pour se réfugier ici ?

▷ Que peut faire le reste du monde pour leur venir en aide ?

Un siècle d'exclusion

Depuis 1945, les pays démocratiques ont fait pression sur les autres pour que les droits de l'homme soient respectés partout. Mais de nombreuses dictatures ont vu le jour et l'intolérance et l'exclusion ont continué de gagner du terrain. En Afrique du Sud, jusqu'au début des années 1990, la politique d'apartheid a exclu les Noirs de la vie économique, politique, sociale et culturelle. L'accroissement des inégalités laisse la majeure partie de la population mondiale en marge de la prospérité (doc. 2).

LEXIQUE

● l'apartheid : l'organisation de la société selon laquelle certaines personnes sont mises à part du fait de leurs origines.

Des voix contre la violence et l'intolérance

Tout au long du XXe siècle, des personnes se sont mobilisées
pour dénoncer toutes les formes de violence et d'intolérance.

Des artistes contre la violence

→ 1 Contre la terreur

Charlie Chaplin, *Le Dictateur*, film de 1940

Dans ce film, Charlie Chaplin (Charlot) mettait
en scène un dictateur, qui ressemblait à Hitler,
et un juif, ancien héros de la Première Guerre
mondiale, victime de l'antisémitisme du régime.

▷ Décris la scène.

▷ Cherche deux éléments de ressemblance
avec la photographie de Hitler p. 195.

▷ Que regarde ce dictateur avec envie ?

▷ Quel message Charlie Chaplin veut-il faire passer ?

↓ 2 Contre la guerre

Pablo Picasso, *Guernica*, 1937

Dans les années 1930, plusieurs artistes
dénoncèrent la montée des violences en Europe.
Picasso condamne ici le bombardement du village
de Guernica (1 600 morts), en Espagne,
par les partisans de la dictature d'extrême droite.

▷ Décris ce tableau : les personnes, les animaux, les objets, les formes, les couleurs, la lumière…

▷ Quelle impression se dégage de l'ensemble ? Quel est le message de l'artiste ?

La non-violence contre l'injustice

→ 3 Contre la ségrégation

Noir américain, le pasteur Martin Luther King (1929-1968) a dénoncé la ségrégation raciale aux États-Unis dans les années 1950. Il était partisan de la non-violence : il anima des boycotts et des manifestations qui aboutirent à une plus grande égalité entre les Noirs et les Blancs. Il mourut assassiné.

▷ Quelle est la nature de ce texte ?
▷ Que dénonce Martin Luther King ?
▷ Explique l'image qu'il emploie : un billet.
▷ Quel est son « rêve » ?

→ 4 Contre la misère et contre la colonisation

Gandhi à Londres, Grande-Bretagne, 1931
Après avoir milité contre le racisme en Afrique du Sud, au début du XXe siècle, Gandhi (1869-1948) est rentré dans son pays natal, l'Inde, pour participer à la lutte contre la colonisation. Il a agi en faveur de la paix entre les Indiens de religions différentes et pour l'abolition des castes (un système qui met à part certaines personnes du fait de leur origine sociale). Tout au long de son combat, Gandhi a prôné la non-violence. Lui aussi est mort assassiné.

▷ Que dénonce Gandhi dans ce passage ?
▷ Que propose-t-il comme solution ?
▷ Sur la photographie, décris Gandhi en train de descendre les marches.
▷ En quoi ses vêtements sont-ils conformes à son message ?

Discours. Quand les architectes de notre République écrivirent les magnifiques mots de la Constitution et de la Déclaration d'Indépendance, ils signèrent un billet dont chaque Américain devait être l'héritier. Ce billet était une promesse que tout homme Noir aussi bien que tout homme Blanc aurait droit à la vie, à la liberté et au bonheur. Au lieu d'honorer cette obligation sacrée, l'Amérique a donné au peuple Noir un mauvais billet. Mais nous refusons de croire que la banque de la justice est en faillite. J'ai fait un rêve de fraternité ! Je rêve qu'un jour cette nation atteindra et vivra le véritable sens de sa foi politique. « Nous tenons ces vérités pour évidentes, que tous les hommes naissent égaux. » Je rêve qu'un jour, les fils des anciens esclaves et les fils des anciens propriétaires d'esclaves s'assiéront ensemble à la table de la fraternité. Je rêve que mes quatre enfants vivront un jour dans un pays où ils ne seront plus jugés d'après la couleur de leur peau, mais selon leur personne.

D'après Martin Luther King, 1963

Propos transcrits. D'une certaine manière, nous sommes des voleurs. Si je prends quelque chose dont je n'ai pas immédiatement besoin, je le vole à quelqu'un d'autre. Car la nature produit assez pour que nous ayons tous ce qu'il nous faut pour vivre, jour après jour. Si chacun se contentait d'avoir ce dont il a besoin, et rien de plus, il n'y aurait plus de pauvreté dans le monde. Personnellement, je veux ne pas avoir plus que ce dont j'ai vraiment besoin. En Inde, 3 millions de personnes ne mangent qu'un seul repas par jour, composé d'une fine crêpe de blé. Aussi longtemps que ces 3 millions de personnes seront mal nourries et mal vêtues, nous n'aurons pas le droit de posséder quoi que ce soit.

Extraits des pensées de Gandhi

75 Les décolonisations 1947-1974

⬇ 1 Les décolonisations négociées

Léopold Sedar Senghor (Sénégal) et Félix Houphouët-Boigny (Côte d'Ivoire) 1961

Après la Deuxième Guerre, ces deux hommes ont été élus députés de leurs colonies à l'Assemblée nationale en France et ont négocié l'indépendance des colonies françaises d'Afrique.

▷ Sur la chronologie O, trouve en quelle année les colonies françaises d'Afrique ont obtenu leur indépendance.

▶ Fais des recherches et trouve ce que Senghor et Houphouët-Boigny sont alors devenus.

▷ Lis le texte et explique ce que l'auteur réclame.

▶ Que penses-tu de la situation qu'il dénonce ?

▷ Sur la carte 29, nomme plusieurs colonies ayant obtenu leur indépendance de manière pacifique.

Discours politique. Pour le travail forcé, le salaire journalier est de 4 francs par jour. Les femmes et les enfants ont 2,50 francs par jour. Les uns et les autres ne sont ni payés ni nourris les dimanches et jours fériés. On compte aux travailleurs 5 à 6 francs de nourriture par jour, ce qui ne permet pas de les nourrir convenablement. Les ouvriers sont obligés de travailler le dimanche dans les plantations voisines ou de vendre du bois au marché. Certains, en bandes armées, poussés par la faim, s'emparent de force de quoi vivre. D'autres sont obligés, le dimanche, de terminer le travail qu'ils n'ont pas pu achever la veille. Parlerons-nous des retenues de salaire pour cause de maladie, retard dans le service, non-accomplissement du travail demandé et bien au-dessus des forces de ces personnes qui ne mangent pas à leur faim ?

D'après Félix Houphouët-Boigny, député de Côte d'Ivoire, Assemblée nationale, Paris, 1946

Un contexte favorable

Après la Deuxième Guerre mondiale, les peuples colonisés ont réclamé de plus en plus fermement leur indépendance. En effet, le contexte leur était favorable. D'une part, la guerre avait affaibli le prestige des Européens. D'autre part, les colonies attendaient de la reconnaissance pour leur participation importante au conflit (soldats, vivres…). Enfin, les deux grandes puissances mondiales, l'URSS et les États-Unis, toutes deux hostiles à la colonisation, et l'ONU, favorable aux droits de l'homme, appuyaient leurs revendications.

Les décolonisations négociées

La plupart des colonies obtinrent des réformes progressives, qui les menèrent à l'indépendance (carte 29). La première colonie à obtenir son indépendance fut l'Inde, en 1947, au prix de longues négociations entre la Grande-Bretagne et les nationalistes indiens, dont Gandhi. Ce fut également le cas de la plupart des colonies d'Afrique : en 1956 pour le Maroc et la Tunisie, à partir de 1957 pour les colonies britanniques, en 1960 pour les colonies françaises et belges d'Afrique noire (doc. 1 et chronologie O).

↓ 2 Les décolonisations armées

Discours politique. La Déclaration des Droits de l'homme et du citoyen de la Révolution française a proclamé : « Les hommes naissent et demeurent libres et égaux en droits. » Cependant, depuis plus de 80 ans, les Français ont violé la terre de nos ancêtres et opprimé nos compatriotes. Pour ces raisons, nous proclamons solennellement à l'intention du monde entier : le Vietnam a le droit d'être libre et indépendant.

D'après Hô Chi-Minh, homme politique vietnamien, 1945

▷ Lis le texte et explique-le avec tes propres mots.

▶ À quel texte l'auteur fait-il référence ?

▷ Sur la carte 29, situe l'Indochine dont faisait partie le Vietnam : ce pays a-t-il obtenu son indépendance de manière pacifique ou par la guerre ?

▷ Sur la chronologie 0, trouve combien de temps la guerre d'Indochine a duré.

L'indépendance de l'Algérie le 5 juillet 1962

▷ Décris cette scène : les personnes, le drapeau, l'atmosphère…

▶ À ton avis, pourquoi ces gens se montrent-ils enthousiastes ?

▷ Sur la carte 29, situe l'Algérie : ce pays a-t-il obtenu son indépendance de manière pacifique ou par la guerre ?

▷ Sur la chronologie 0, trouve combien de temps la guerre d'indépendance de l'Algérie a duré.

▷ Sur la carte 29, trouve d'autres colonies ayant obtenu leur indépendance par la guerre.

Les décolonisations armées

Quelques colonies durent entrer en guerre contre les colonisateurs pour obtenir leur indépendance (carte 29). Ce fut le cas de l'Indochine de 1947 à 1954 : l'armée française fut finalement battue à Diên Biên Phu en 1954 et la France dut accorder l'indépendance au Cambodge, au Laos et au Vietnam. Ce fut également le cas de l'Algérie (constituée de trois départements français) à partir de 1954 : la France ne voulait ni perdre ce territoire et ses richesses, ni abandonner les nombreux Français installés dans le pays. La guerre causa 300 000 morts, des destructions importantes et divisa profondément les Français. En 1962, la France reconnut l'indépendance de l'Algérie. Un million de Français installés en Algérie (les Pieds-noirs) choisirent de revenir en métropole après avoir perdu la totalité de leurs biens (doc. 2).

LEXIQUE

● **la décolonisation** : la fin de la colonisation.

● **l'indépendance** : le fait d'être responsable de soi-même, de décider seul pour soi-même.

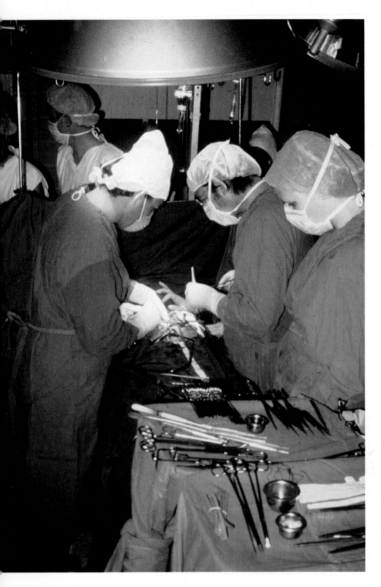

1 La recherche et la médecine : la première greffe du cœur

Afrique du Sud, 1967

▷ Qu'appelle-t-on une greffe ?

▷ Décris cette salle d'opération.

▷ Pourquoi les chirurgiens portent-ils des blouses, des gants et des masques ?

▷ En quoi les greffes représentent-elles un progrès pour l'humanité ?

▷ Compare cette opération à celle de la page 119 : qu'est-ce qui a changé depuis cette époque ?

2 La recherche et la médecine : les progrès du siècle

1903 :	premier aéroplane
1907 :	machine à laver le linge
1913 :	réfrigérateur électrique
1926 :	télévision
1928 :	antibiotiques
1935 :	radar
1947 :	transistor
1957 :	satellite spatial
1972 :	scanner
1981 :	navette spatiale
1982 :	disque compact
1982 :	cœur artificiel
1997 :	DVD (Digital Video Disc)

▷ Que sais-tu de chacune des inventions ci-contre ?

▷ Pour chacune d'elles, comment faisait-on auparavant ?

La recherche et la médecine

L'humanité a réalisé plus d'innovations au cours du XXe siècle qu'au cours des 3 millions d'années précédentes. De grands chercheurs, comme Albert Einstein, ont permis aux hommes de mieux comprendre l'Univers, depuis le monde microscopique jusqu'à l'espace infini. La médecine a réalisé de multiples progrès dans le domaine des connaissances (fonctionnement du corps humain, découverte de l'ADN), du diagnostic (radio, scanner, analyses médicales) et des traitements (antibiotiques, chirurgie, premières greffes...) (doc. 1).

L'informatique et l'information

L'un des grands bouleversements techniques du XXe siècle a été celui de l'informatique. Le premier ordinateur a été mis au point en 1946 (doc. 2). Depuis, l'informatique s'est généralisée et miniaturisée. Le XXe siècle a aussi été marqué par une véritable révolution de l'information, avec le développement de la radio puis, après la Deuxième Guerre mondiale, de la télévision et avec la généralisation des télécommunications (téléphones, télécopies et, depuis les années 1990, Internet) dans les pays riches.

2 L'informatique et l'information

Le premier ordinateur, 1946
Ce premier ordinateur était une sorte de gigantesque cerveau électronique capable de traiter rapidement une grande quantité d'informations.

▷ Décris cet ordinateur.

▶ Ressemble-t-il aux ordinateurs modernes ?

▶ Nomme d'autres progrès réalisés au XXᵉ siècle dans le domaine de l'information : pense notamment aux télécommunications.

3 Les transports et l'espace

Neil Armstrong sur la Lune, juillet 1969

▷ Décris la photographie : le lieu, l'engin spatial, l'astronaute…

▶ Explique cette phrase de Neil Armstrong lors de son premier pas sur la Lune : « Un petit pas pour l'homme, mais un grand pas pour l'humanité. »

▶ Nomme quelques progrès réalisés au XXᵉ siècle dans le domaine des transports.

Les transports et l'espace

Le XXᵉ siècle a été marqué par les progrès des transports, qui se sont généralisés et sont de plus en plus rapides : automobiles, trains, bateaux, avions… Après la Deuxième Guerre, les chercheurs se sont intéressés à l'espace et les progrès de l'aviation ont été appliqués à ce domaine. En 1961, un Russe a été le premier à voyager dans l'espace. En 1969, deux Américains ont atteint la Lune (doc. 3). Depuis, d'autres pays ont envoyé des centaines d'engins dans l'espace qui explorent l'Univers, observent la Terre ou relaient les télécommunications…

Ces progrès rapides ont été effectués sans respect pour l'environnement et le monde se prépare à de grandes difficultés du fait de la pollution, du réchauffement climatique, de la diminution des ressources naturelles…

LEXIQUE

● **l'ADN** : l'acide désoxyribonucléique, qui porte l'ensemble des gènes (des caractéristiques génétiques) des êtres humains.

● **une greffe** : le transfert d'un organe d'une personne à une autre.

↓ 1 Une nouvelle Constitution

En France, le suffrage est universel : **tous les Français** de plus de 18 ans votent.
Ils élisent le président de la République et les députés.
Ils élisent aussi les conseillers municipaux, généraux et départementaux qui, à leur tour, élisent les sénateurs.

Le **pouvoir législatif** est le pouvoir de « faire » les lois, c'est-à-dire de les élaborer, de les discuter et de les voter. En France, ce pouvoir est partagé entre deux assemblées :
– l'**Assemblée nationale** (députés)
– le **Sénat** (sénateurs).

Le **pouvoir exécutif** est le pouvoir de faire appliquer les lois. Par exemple, la loi prévoit que l'école est obligatoire de 6 à 16 ans : c'est le pouvoir exécutif qui organise l'Éducation nationale. Il se compose :

– du **président de la République** (élu pour 5 ans), qui veille au fonctionnement du pays et le représente à l'étranger ;

– du **gouvernement** composé d'un Premier ministre et de ministres, chargé chacun d'un domaine (Éducation nationale, Agriculture, Armée…).

Le **pouvoir judiciaire** est le pouvoir de sanctionner ceux qui ne respectent pas la loi. Il appartient aux juges des différents tribunaux : tribunal de police pour les infractions, tribunal correctionnel pour les délits, cour d'assises pour les affaires criminelles…

▷ À qui appartient le pouvoir, en France ? Qui est chargé de voter des lois ?
▶ Le président de la République a des pouvoirs importants : est-ce contraire à la démocratie ?

Une nouvelle Constitution

Le régime de Vichy, pendant la Deuxième Guerre mondiale, avait mis un terme à la IIIe République. Aussi, après la guerre, la France a-t-elle adopté une nouvelle Constitution. Mais l'organisation du pouvoir dans cette IVe République s'est avérée peu efficace. En 1958, divisés et débordés par la guerre d'Algérie, les Français ont approuvé l'arrivée au pouvoir du général de Gaulle et adopté par référendum la nouvelle Constitution qu'il proposait : ce fut le début de la Cinquième République (doc. 1).

Cette Constitution a, depuis 1958, été plusieurs fois modifiée : par exemple, désormais, le président de la République est élu directement par les électeurs (non plus par les députés, les sénateurs…) pour 5 ans (au lieu de 7) et les Français peuvent voter à partir de 18 ans (au lieu de 21 ans à l'origine).

La vie politique

Les gouvernements successifs, de gauche et de droite, ont achevé la décolonisation et restauré en partie l'influence de la France dans le monde.

POUR LE SUCCES DE LA FRANCE

POMPIDOU

il tient ce qu'il promet

V. GISCARD D'ESTAING

La force tranquille.

Mitterrand Président

JACQUES CHIRAC

LA FRANCE POUR TOUS

↑ 2 La vie politique

Les présidents de la Ve République, affiches électorales

▷ Nomme ces cinq présidents.

▷ Sur la chronologie N, trouve les dates de leur présidence.

▷ D'après la chronologie, lesquels étaient de droite (en bleu), lequel était de gauche (en rouge) ?

▶ À quelle occasion utilise-t-on des affiches électorales ?

▶ Explique le slogan de chacune d'elles et le message que le candidat cherche à faire passer.

Ils ont cherché des solutions pour empêcher la montée du chômage. Les gouvernements de gauche ont réduit le temps de travail (semaine de 35 heures, cinquième semaine de congés payés, retraite à 60 ans) et adopté des mesures contre l'exclusion (indemnités pour les chômeurs, RMI…). La vie politique a été marquée par de profondes contestations : celle des étudiants et d'une grande partie de la société en mai 1968 ; celle de l'extrême droite et de l'extrême gauche, à la recherche de solutions radicales contre les difficultés économiques et sociales, plus récemment (doc. 2).

LEXIQUE

● **la droite** : la tendance politique qui tient le progrès économique pour sa priorité.

● **la gauche** : la tendance politique qui tient le progrès social pour sa priorité.

● **un référendum** : un vote des citoyens qui doivent répondre par oui ou par non à une question.

● **le RMI** (revenu minimum d'insertion) : de l'argent versé aux personnes sans ressources.

dans la maison

L'EAU PURE et ABONDANTE

Apporte bien-être, prospérité et santé.

← 1 La croissance : la vie moderne

Affiche publicitaire des années 1920
pour le raccordement au réseau d'eau courante

Dans le courant du XXᵉ siècle, certains équipements se sont généralisés, dans les villes puis dans les campagnes : l'eau courante, le raccordement à l'égout, l'électricité, le téléphone…

▷ Décris cette affiche publicitaire.
▷ Que vante-t-elle ?
▷ Quels arguments écrits sont utilisés ?
▷ Par quels éléments visuels sont-ils renforcés ?

↓ 2 La croissance : l'exclusion

Presse. « La pauvreté et l'exclusion ont pris dura-blement racine dans notre pays », dénonce le Secours catholique, qui rappelle par ailleurs que la France compte quelque 3,5 millions de personnes vivant sous le seuil de pauvreté, avec moins de 602 euros par mois. « La plus grande cause nationale pour notre pays est bien d'éradiquer la pauvreté et de construire une société juste et fraternelle. La France, l'une des premières puissances mondiales, en a les moyens », souligne l'association.

D'après *Le Nouvel Observateur* hebdomadaire, 16 novembre 2004

▷ Lis le texte et explique ce qu'il dit.
▷ La croissance et la vie moderne profitent-elles à tous ?

La croissance et la vie moderne

Durant le XXᵉ siècle, la France et l'Europe ont connu une forte croissance économique, qui a profité à l'ensemble de la population. Grâce aux progrès de la médecine et à un meilleur niveau de vie, les Français vivent désormais plus longtemps et en meilleure santé. Les progrès techniques, en particulier l'informatique, ont transformé le travail. Le nombre des agriculteurs et des ouvriers a diminué, tandis que les « emplois de bureau » se sont multipliés. Les conditions de travail ont, elles aussi, changé. Les employés ont désormais des congés (week-end, congés payés) et de meilleurs salaires qu'au XIXᵉ siècle. De ce fait, leurs conditions de vie se sont améliorées : logements plus confortables, raccordement à l'eau courante et aux égouts, au réseau électrique et au téléphone, équipement en électroménager, généralisation des transports, augmentation du temps consacré aux loisirs et apparition de nouveaux loisirs comme la télévision… (doc. 1 et pp. 218-219) Mais depuis les années 1970, l'Europe a connu une forte progression du chômage. Les inégalités se sont accrues : une partie de la population se trouve dans la misère, avec des conditions de vie très précaires… (doc. 2)

3

L'immigration

Ouvriers agricoles venus pour la moisson en France à la fin des années 1930

Entre les deux guerres et surtout après la Deuxième Guerre mondiale, la France a fait appel aux travailleurs étrangers pour compenser le manque d'ouvriers.

▷ Décris cette scène : le lieu, les personnes…

▶ À ton avis, d'où ces travailleurs sont-ils originaires ?

L'immigration : l'intégration

Manifestation des sans-papiers à Paris, 1998

▷ Décris cette scène : le lieu, les personnes, la banderole…

▶ D'où ces personnes sont-elles originaires ?

▶ Qu'appelle-t-on les « sans-papiers » ?

▶ Que réclament-ils ?

L'immigration

De tout temps, l'Europe a été parcourue par des migrations. La France, notamment, est depuis longtemps une terre d'accueil pour les réfugiés politiques. Après la Deuxième Guerre mondiale, elle a fait appel à l'immigration quand l'agriculture et l'industrie ont manqué d'ouvriers (doc. 3). De nos jours, au contraire, du fait de la montée du chômage, elle limite l'immigration et lutte contre l'immigration clandestine. Actuellement, la France compte 4 millions d'étrangers et un Français sur cinq a un parent ou un grand-parent d'origine étrangère. L'intégration de toutes ces personnes et la lutte contre le racisme sont devenues une nécessité pour le pays, d'autant plus que la population active va baisser dans les années à venir : la France va devoir de nouveau faire appel à l'immigration (doc. 4).

LEXIQUE

● **l'intégration** : l'ensemble des actions visant à faire participer les immigrés à la vie du pays pour établir l'égalité avec le reste de la population.

L'évolution du mode de vie

Dans la seconde moitié du XXᵉ siècle est apparue la « société de consommation » : les commerces de plus en plus nombreux proposent des produits toujours plus variés.

La société de consommation

→ 1 Le confort dans la maison

Affiche des années 1950

Depuis 1945, l'électroménager, la télévision puis la hi-fi se sont généralisés.

▷ Décris cette affiche publicitaire.

▷ Quels produits vante-t-elle ?

▷ Quels arguments écrits sont utilisés ?

▷ Quels éléments visuels sont utilisés ?

▷ Lis le texte ci-dessous et explique les progrès qu'il évoque.

Article de presse. Quand nous avions 20 ans, 20 % des familles françaises avaient une voiture ; 70 % en ont une aujourd'hui. 5 à 6 % avaient une machine à laver et un réfrigérateur ; aujourd'hui, 95 % ont un réfrigérateur et 80 % un lave-linge. Quant à la télévision, elle habite neuf foyers sur dix aujourd'hui. Le revenu par personne avait presque doublé au XIXᵉ siècle. Il avait encore doublé pendant le premier tiers du XXᵉ siècle. Depuis 1950, il a été multiplié par quatre.

D'après le mensuel *L'Expansion*, 1987

FRIGEAVIA
LA TECHNIQUE AVIATION
AU SERVICE DU FROID

RÉFRIGÉRATEUR
à compresseur hermétique
PORTE CONDITIONNÉE
FREEZER à 1 ou 2 étages
CLAYETTES MOBILES

DJINN 95
CONTENANCE 95 LITRES

TRIDENT 140
CONTENANCE 140 LITRES

BRETAGNE 220
CONTENANCE 220 LITRES

SALON DES ARTS MÉNAGERS - STAND B 12 - GRANDE NEF

confiance à
FRIGEAVIA
confiance à
TÉLÉAVIA

TÉLÉVISEUR GRAND ÉCRAN 43 ou 54 cm
TRÈS GRANDE FINESSE D'IMAGE
TRÈS HAUTE FIDÉLITÉ SONORE
ÉBÉNISTERIE DE LIGNES TRÈS NOUVELLES
VISIÈRE AVANT PROTÉGEANT L'ÉCRAN
chêne bicolore ou noyer foncé
LUXUEUX tableau de bord protégé par alumitage

distribué par la Société Française FRIGEAVIA, 48, avenue Victor-Hugo, PARIS 16ᵉ - KLÉber 40-50

aux 4 coins du bonheur... 4 portes, 4 places...

← 2 La voiture individuelle

Affiche des années 1950

L'automobile, qui date de la fin du XIXᵉ siècle, s'est généralisée dans la seconde moitié du XXᵉ siècle.

▷ Décris cette affiche publicitaire.

▷ Quels produits vante-t-elle ?

▷ Décris cette représentation de la « famille idéale » dans les années 1950-1960.

▷ Quels arguments écrits sont utilisés ?

▷ Quels éléments visuels sont utilisés ?

La société des loisirs

→ **3** **Les loisirs**

Affiche de 1952

La diminution du temps de travail a créé
du temps libre pour toutes les catégories
de la population et entraîné l'essor des
loisirs. Parmi eux, la télévision, le cinéma,
la musique et le sport se sont considérablement développés.

▷ Décris cette affiche publicitaire.
▷ Que cherche-t-elle à vendre ?
▷ Quels arguments écrits sont utilisés ?
▷ Quels éléments visuels sont utilisés ?
▷ Quels autres sports sont très populaires
en France ?
▷ Le sport est-il davantage un loisir pratiqué
par les Français ou un spectacle qu'ils
regardent à la télévision ?

↓ **4** **Les vacances**

Affiche publicitaire de 1959

Les congés payés ont été instaurés en
1936 et ont entraîné une augmentation
régulière du tourisme.

LE **FILM OFFICIEL** DU **TOUR** DE **FRANCE**

Merveilleuses vacances avec la tente "Dauphine 59"

▷ Décris cette
affiche publicitaire.
▷ Que cherche-
t-elle à vendre ?
▷ Quels arguments
écrits sont
utilisés ?
▷ Quels éléments
visuels sont
utilisés ?
▷ Quelle est la
durée actuelle
des congés payés
pour les salariés ?

1 **Les femmes au travail** Usine d'empaquetage des cartouches en 1916

▷ Décris cette usine : l'atelier, les femmes, leur activité…

▷ De nos jours, les femmes et les hommes ont-ils les mêmes postes et les mêmes responsabilités dans le travail ?

Les femmes au travail

Les deux guerres mondiales, qui ont provoqué le départ des hommes sur le front, ont permis aux femmes d'occuper de meilleurs emplois (doc. 1). Dans la seconde moitié du XXᵉ siècle, les femmes de toutes les catégories sociales ont pu travailler, donc devenir autonomes. De nouvelles lois les protègent (par exemple, elles ne peuvent pas être licenciées quand elles sont enceintes). Même si l'écart entre les hommes et les femmes s'est réduit, elles ont souvent des postes avec moins de responsabilités et perçoivent des salaires moindres.

Les femmes dans la famille

Tout au long du XXᵉ siècle, les femmes se sont mobilisées pour obtenir la reconnaissance de leurs droits. Désormais, le Code civil les reconnaît comme égales aux hommes : elles ont les mêmes droits au sein de la famille, elles ne sont plus sous l'autorité de leurs maris, elles disposent de leurs biens et peuvent demander le divorce. Les hommes ont dû apprendre à partager les responsabilités familiales et les décisions avec les femmes. Mais certains continuent de se comporter comme s'ils étaient supérieurs ou avaient davantage de droits.

⬇ 2 Les femmes dans la société

Couverture d'un magazine, 1930

Décris ce magazine : le titre, les textes, l'illustration…

Cherche dans ton manuel des représentations des femmes d'autrefois et compare-les aux femmes d'aujourd'hui : l'habillement, la coiffure, les activités…

En quoi cela témoigne-t-il d'un progrès de leur statut ?

⬇ 3 Les femmes et la vie publique

Citoyenne dans un bureau de vote

Décris ce bureau de vote.

Depuis quand le suffrage masculin était-il universel en France ?

Sur la chronologie N, trouve à quelle date les femmes ont eu le droit de vote.

Les femmes dans la société

Après la Première Guerre mondiale, les femmes ont commencé à prendre une certaine autonomie. Au cours du XXᵉ siècle, elles se sont « libérées » des obligations que la société leur imposait tradition-nellement et ont commencé à sortir seules dans la rue, à couper leurs cheveux, à porter des jupes plus courtes puis des pantalons. C'est à cette époque aussi qu'elles ont commencé à pratiquer certaines activités jusque-là « réservées aux hommes », comme faire du sport, conduire une voiture… (doc. 2)

Les femmes et la vie publique

En France comme dans le reste de l'Europe, les femmes se sont fortement mobilisées, au XXᵉ siècle, pour obtenir le droit de voter et de participer à la vie publique. La France a été l'un des derniers pays d'Europe à leur reconnaître le droit de vote : ce n'est qu'en 1944, au moment de la Libération, que le suffrage est devenu universel et en 1945, les femmes ont, pour la première fois, participé à une élection (doc. 3). Mais des inégalités demeurent : peu de femmes sont élues députés, maires, prési-dente ou nommées ministres.

Table des illustrations

COU	ph ©	TF1
6-7	ph ©	H. Hinz / Centre des Monuments Nationaux
8	ph ©	Musée Ladevèze / Le Mas d'Azil / G. Blot / RMN
9	ph ©	C. Pouedras / Eurelios
10-g, d	ph ©	J. Reader / SPL / Cosmos
12-h,g	ph ©	P. Jugie / RMN
12-h,d	ph ©	J-G. Berizzi / RMN
12-b	ph ©	J. Schormans / RMN
14	ph ©	P. Bodu / CNRS
15	ph ©	Coll. Musée d'Art et d' Archéologie du Périgord- Ville de Périgueux .. Cliché B Dupuy
16-h,g	ph ©	RMN
16-h,d	ph ©	G. Blot / RMN
16-b,g	ph ©	J. Oster / Coll. Musée de l'Homme, Paris
16-b,d	ph ©	Coll. Musée de l'Homme, Paris
18, 19,b	ph ©	L. Hamon / RMN
19-h,g	ph ©	J. Schormans / RMN
19-h,d	ph ©	Fanny / Gamma
20	ph ©	Vertut / Leroi-Gourhan
22	ph ©	L. Hamon / RMN
24	ph ©	E. Lessing / Akg-Images
25-g	ph ©	Josse
25-d	ph ©	Musée National Suisse, Zurich
26-h	ph ©	C. Huyghens
26-b	ph ©	B. Wojtek / Hoa-Qui
28	ph ©	J. Cornish / Fotogram Stone / Getty Images
29	ph ©	Boëlle / Andia
30-1	ph ©	L. Hamon / RMN
30, 31	ph ©	Oronoz
32-h, b,g	ph ©	G. Poncet / RMN
32-m, m,d	ph ©	Josse
32-b	ph ©	B. Hatala / Coll. Musée de l'Homme, Paris
34-35	ph ©	G. Dagli Orti
36	ph ©	Archives Hatier
37-3	ph ©	Marco Polo, Paris
37-4	ph ©	J-M. Voge / Gamma
38	ph ©	J. Schormans / RMN
39-2	ph ©	Les Frères Chuzeville / RMN
39-3	ph ©	Bulloz / RMN
40	ph ©	D. Arnaudet / RMN
41	ph ©	Giraudon / Bridgeman
42	ph ©	M. Assemat / RMN
43-g	ph ©	Josse
43-d	ph ©	J. Schormans / RMN
44	ph ©	G. Blot / RMN
45	ph ©	Musée Gaumais, Virton, Belgique
48	ph ©	H. Champollion / Akg-Images
49	ph ©	A. Guerrand / Musée Calvet, Avignon
50, 52-1	ph ©	G. Dagli Orti
52-2,3	ph ©	H. Champollion / Akg-Images
53-4	ph ©	Mopy / Rapho
54-1, 2	ph ©	G. Dagli Orti
55-3,g	ph ©	F. Raux / RMN
55-3,d	ph ©	G. Blot / RMN
55-4	ph ©	G. Dagli Orti
56-g, d	ph ©	G. Blot / RMN
58, 59	ph ©	J-L Charmet / Giraudon / Bridgeman
60	ph ©	Akg-Images
61	ph ©	Giraudon / Explorer / Hoa-Qui
62-63	ph ©	R-G. Ojeda / RMN
64	ph ©	Giraudon / Bridgeman
66-g	ph ©	Museum Burglinn Krefeld
66-m	ph ©	W. Formans / Akg-Images
67, 68	ph ©	G. Dagli Orti
69	ph ©	Centre Guillaume le Conquérant, Bayeux
70, 71	ph ©	BNF, Paris
72-1	ph ©	Archives Hatier
72-2	ph ©	Historical Picture Archive / Corbis
73-3	ph ©	Akg-Images
73-4	ph ©	Archives Hatier
74, 75	ph ©	Archives Hatier
76	ph ©	Josse
77	ph ©	R. Schneiders
78-79	ph ©	Michel Martin
80	ph ©	Archives Hatier
81-3	ph ©	R-G. Ojeda / RMN
81-4	ph ©	Archives Hatier
82	ph ©	Giraudon / Bridgeman
83-2	ph ©	Josse
83-3	ph ©	Akg-Images
84-h	ph ©	Amelot / Akg-Images
84-b	ph ©	S. Dauwe / Planet Reporters - REA
85-g	ph ©	Ludovic / REA
85-d	ph ©	J-P. Dumontier / Akg-Images
86	ph ©	Archives Hatier
87	ph ©	Y. Arthus-Bertrand / Altitude
88, 89	ph ©	Archives Hatier
90-91	ph ©	PhotoBlot. Com
92-1,2	ph ©	Archives Hatier
93	ph ©	R et S. Michaud / Rapho
94, 95	ph ©	Archives Hatier
96-97	ph ©	M. Durazzo / ANA
98	ph ©	Giraudon / Bridgeman
99-2	ph ©	Archives Hatier
99-3	ph ©	Archives J-L.Charmet / Giraudon / Bridgeman
100	ph ©	Archives Hatier
101-2	ph ©	Josse
101-3, 102	ph ©	Archives Hatier
103-h	ph ©	Giraudon / Bridgeman
103-b	ph ©	Archives Hatier
104, 105-2	ph ©	Archives Hatier
105-3	ph ©	Josse
106-107	ph ©	DR / RMN
108, 110	ph ©	Josse
111	ph ©	G. Dagli Orti
112	ph ©	Josse
113	ph ©	Akg-Images
114	ph ©	Josse
115	ph ©	Giraudon / Bridgeman
116-117	ph ©	PhotoBlot.com
118	ph ©	Akg-Images
119	ph ©	Bulloz / RMN
120	ph ©	BNF, Paris
121	ph ©	Josse
122	ph ©	Giraudon / Bridgeman
123	ph ©	H. Lewandowski / RMN
124-125	ph ©	R. Mazin / Photononstop
126	ph ©	Josse
127	ph ©	Josse
128	ph ©	F. Raux / RMN
129, 130	ph ©	Josse
131-g	ph ©	The Art Archive / Bibliothèque des Arts Décoratifs / G. Dagli Orti
131-d,132	ph ©	Bulloz / RMN
133	ph ©	Josse
135	ph ©	Giraudon / Bridgeman
136	ph ©	Lauros / Giraudon / Bridgeman
137	ph ©	DR / RMN
138-1	ph ©	Josse
138-2	ph ©	RMN
139	ph ©	Josse
140	ph ©	Akg-Images
141, 142, 143	ph ©	Josse
144	ph ©	DR / RMN
145	ph ©	G. Blot / RMN
146, 147	ph ©	Archives J-L. Charmet / Giraudon / Bridgeman
148-149	Coll.	Bouquignaud / Kharbine-Tapabor
150	ph ©	Archives J-L. Charmet / Giraudon / Bridgeman
151	Coll.	Viollet
152-153	ph ©	C. Benoit
154	ph ©	Museum of City New York / Corbis
155-3	ph ©	Austrian Archives / Corbis
155-3,b	Coll.	Roger-Viollet
155-4	ph ©	P. Jahan / Roger-Viollet
156	Coll.	Kharbine-Tapabor
157-2	ph ©	Josse / Coll. Sirot-Angel
157-3	ph ©	Corbis
158	ph ©	Josse
159	ph ©	Josse / Coll. Sirot-Angel
160	Coll.	BHVP-Grob / Kharbine-Tapabor
161	ph ©	N-D / Viollet
162	ph ©	Klaus Göken / BPK, Berlin / RMN
163	ph ©	Bettmann / Corbis
164	ph ©	Josse
165	ph ©	H. Lewandowsky / RMN
166	Coll.	Dixmier / Kharbine-Tapabor
167	ph ©	Branger / Roger-Viollet
168, 170	ph ©	Josse

Table de copyright

Achevé d'imprimer en Italie par L.E.G.O. S.p.A. - Lavis (TN)
Dépôt légal: 92073-8/11 - mars 2015